Paradijs

Luuk Imhann

Paradijs

Amsterdam · Antwerpen
Em. Querido's Uitgeverij BV
2016

Omslag Bram Kleiweg
Omslagbeeld Getty Images
Foto auteur Lionne Hietberg

ISBN 978 90 214 0161 4 / NUR 301
www.querido.nl

Voor mijn vader

'We're all mad here.'

– Lewis Carroll, *Alice's Adventures in Wonderland*

We zijn haast geen mensen meer

De eilanders denken dat de Berg leeft. De grote klomp aarde ademt, zo hebben ze ons verteld. Hij voelt dat we over zijn oppervlakte door het regenwoud lopen en hij houdt ons in de gaten. Twee gidsen, Osu en Yong, leiden de weg en vertellen over inheemse mythen: oerwezens gemaakt van schaduwen, kannibalistische gebruiken en hypnotiserende dieren.

Ze denken dat de Mount Kinabalu denkt zoals wij allemaal en ze proberen er continu voor te zorgen op goede voet met de Berg en diens flora en fauna te staan. Bij het kampvuur lachen we om deze verhalen. De vier biologen praten over legendes in andere delen van de wereld. Ik zou me beter voelen als me niet telkens werd verteld dat ik moest oppassen bij elke stap die ik zet, dat een onzichtbare kracht over ons regeert, maar ik bepaal hier niets en de gidsen kennen deze plek als hun broekzak. Ik probeer er niet te veel op te letten. We zijn op dag twaalf van een expeditie die in totaal dertig dagen in beslag moet nemen, telkens heen en terug van het kamp naar de uithoeken van de

Kinabalu. Ik zal op zoek gaan naar mezelf in dit regenwoud. Als ik terugkom moet ik een ander mens zijn, me niet meer zo laten leiden door de meningen van anderen, met name die van mijn vader.

Ik krab aan mijn baard van twaalf dagen, aangezien de leider van de biologen, Konraad Golding, me heeft verzocht me niet te scheren. Er schuilt gevaar in hygiene. Wonden van het scheren kunnen voor infecties zorgen en dan is de bewoonde wereld ver weg. Zeep kan dieren lokken. Zeep kan dieren wegjagen. Mijn baard is lang en rood, mijn haar plakt aan mijn gezicht – zoals bij iedereen hier – en ik voel me vies. De lucht is zo vochtig dat je zou kunnen zeggen dat we hier continu douchen, maar ik begin zo langzamerhand echt te verlangen naar een stuk zeep.

Ieder in de groep heeft zijn eigen agenda. Elke bioloog zoekt naar iets anders. De insecten waar Lilith Pallas naar zoekt verschillen van de plantensoorten waar Olav Bartlot ons voortdurend mee confronteert. Er wordt veel gewezen en er vallen veel Latijnse namen; aan dat spelletje doe ik niet mee. Het lijkt een wedstrijd, ik heb het gevoel dat er gewed wordt om flessen wijn die pas overhandigd worden als we terug zijn.

Het laatste lid van de groep, Danuel Milton, is vooral stil. Oud en wijs wil hij overkomen, denk ik, maar hoewel hij met zijn achtenvijftig jaar de oudste is van de expeditie – de rest is niet veel jonger – maakt hij geen wijze indruk. Hij lijkt een groot verdriet met zich mee te dragen en geeft me met norse blikken het gevoel dat ik niet gewenst ben. Ik, de student, die het allemaal toch niet begrijpt. Dat mijn vader de expeditie financiert levert me nog geen voorrangspositie op, lijkt Danuel te willen zeggen.

De anderen zijn een jaar of twintig ouder dan ik en zijn het studentenleven waarin ik me nog begeef al geruime tijd ontgroeid. Allen zien we eruit als oermensen in de jungle die ze voor de grap westerse kleding hebben aangetrokken, zo ongemakkelijk bewegen we ons erin voort. Enige uitzondering, op Osu en Yong na, die geen ongemak kennen of het nooit laten blijken, is Lilith, die rondloopt als een bosnimf; zelfs met doorweekte kleding en een eindeloze stroom zweet over haar uitgeputte gezicht is ze nog beeldschoon. Haar zwarte, lange haren, haar groene ogen, ze lijkt soms op een dolende figuur die je diep het oerwoud in lokt, waarna je je weg niet meer terugvindt.

We stoppen en de biologen pakken hun verrekijkers. Olav legt een hand op mijn schouder en wijst me waar ik moet kijken. 'Een Aap van de Oude Wereld,' zegt hij.

Op tien meter hoogte in de bomen zit de bijzonderste aap die ik ooit heb gezien. Ik hap naar adem en kijk naar de biologen, die allemaal dezelfde verwonderde blik in hun ogen hebben.

'Een neusaap,' zegt Lilith.

‘*Narsalis larvatus*,’ zegt Konraad. ‘Eindelijk gevonden.’

‘*Monyet belanda*,’ fluisteren Osu en Yong.

De aap kijkt rustig om zich heen, maar is zich zeer bewust van onze aanwezigheid. Zijn vacht is bruin, met grijze armen en benen en dito staart. Maar het meest in het oog springt zijn reusachtige oranje neus. Die is reusachtig en vrouwtjes kiezen de mannetjes met de grootste, de mooiste, de meest uitgesproken neus uit om mee te paren.

De neusaap is groot voor een primaat, en zijn licht oranjeroze gezicht straalt eerder wijsheid dan instinct uit. Het is een intelligent dier. Olav wijst me op de andere apen, hoger en lager in de bomen en duidelijk ondergeschikt. Ze leven in groepen en de Aap van de Oude Wereld die we als eerste zagen is duidelijk de leider.

Onder een lichtblauwe hemel klinkt er gebrul uit de bomen dat het bewegingloze oerwoud verstoort. Het zijn de klanken die we de afgelopen dagen vaak hoorden van veraf: korte, stotende geluiden. Als een toeter, maar dan veel lager. Enkele neusapen kijken nieuwsgierig onze kant op, alsof ze van ver zijn gekomen om ons te zien, in plaats van andersom. Jongere dieren grommen naar elkaar en oudere dieren maken kalmerende geluiden. De groep lijkt in harmonie te leven. Het is dezelfde natuur als op de gehele Kinabalu; alles hier werkt samen als een organisme.

De biologen bevestigen samen alles wat we over deze dieren weten: ze zijn ruim een halve meter groot (met een staart die even lang is) en leven in groepen tot zestig apen groot. Ze zijn bedreigd, ze kunnen goed zwemmen (zelfs onder water), ze hebben een rudimentaire duim, ze leven alleen op Borneo, wegen ongeveer twintig kilo, eten fruit, bladeren, zaden en insecten en ze zijn niet agressief.

Dan volgen de anekdotes: ze zwemmen zo goed, dat er kilometers uit de kust op zee exemplaren zijn gevonden. Een moeder laat andere groepsgenoten haar kind vasthouden, maar als het dominante mannetje in de groep komt te overlijden, is de kans groot dat de nieuwe leider alle kinderen van zijn voorganger afmaakt om zo zijn dominantie te laten gelden.

Ontdekkingsreiziger Hugh Low trof de dieren in de negentiende eeuw en stelde vast: 'Het is een fraaie aap, ongeveer even groot als de orang-oetan, maar minder walgelijk om te zien.'

De jonge neusapen bewegen veel, maar mijn aandacht wordt steeds meer getrokken door de leider. Deze *Monyet belanda* houdt je blik vast, en ik vraag me af hoeveel we van hem verschillen. De instincten van zijn groep moeten ook nog diep in de mens aanwezig zijn, sluimerend onder de oppervlakte, wachtend op het moment om de maatschappij te laten voor wat ze is en toe te slaan met ongecontroleerd wilde kracht.

Het dier doet me aan mijn vader denken; zijn leiderschap en zijn kracht.

Mijn vader keerde als gebroken man terug uit Afrika. Hij werd overvallen tijdens veldwerk als bioloog. Zijn benen werden gebroken, vermorzeld. Mijn moeder ving hem liefdevol op. Het duurde twee jaar voor hij zich ertoe kon zetten zijn rolstoel naar zijn bureau te rijden en zich opnieuw te verdiepen in de biologie. Het verheugde mijn moeder en mij, we dachten dat hij zijn interesse in de natuur, in alles wat leeft, was kwijtgeraakt door wat hij had gezien. Een precieze uitleg wilde hij niet geven van zijn jaren in de oorlog, noch een verslag van waar hij was geweest. Hij beperkte zich in zijn uitlatingen tot zinnen die veel wanhoop en waanzin met zich meebrengen, enkele zinnen die hij vol pauzes uitsprak.

Vanaf het moment dat hij zijn werk hervatte, keerde zijn bezieling voor de dieren terug. Hij verdiepte zich in een ontbrekende schakel in de evolutieketen, iets wat alles moest verklaren, zelfs, zo hoopte hij, de gewoonte van de mens om alle werelden die hij heeft opgebouwd weer met de grond gelijk te maken, maar hij vond niets.

Mensen... zei mijn vader. *We zijn haast geen mensen meer.*

Een mens die verdwaald is en zich verloren voelt doet rare dingen

Konraad geeft het teken: tijd om te vertrekken. Alsof we uit een roes ontwaken, komen we voorzichtig in beweging, om de dieren zo min mogelijk te storen.

Olav is een paar meter voor mij gaan staan. Ik wil naar hem toe lopen, maar ik bots tegen Yong aan. De gids valt tegen een kleine boomvaren, die onder het gewicht bezwijkt. We horen de stam breken en vrijwel direct erna het antwoord van de neusapen. Gegrom uit de bomen. De leider schreeuwt en grijnst dan. Zijn ogen lijken op te lichten. Yong staat op, zijn handen met de palmen naar de grond gericht. Rustig blijven. Voorzichtig maar duidelijk lopen we achteruit. Even lijken de neusapen in beweging te willen komen om hun territorium te beschermen en ik houd mijn adem in. De leider doet echter niets en de rest van de groep doet niets zonder toestemming van de leider.

We schuifelen achteruit, tot ze uit het zicht zijn. Het zweet druipt van mijn voorhoofd over mijn wangen in mijn baard. Het jeukt, maar ik ben nu te bang om me meer te bewegen dan nodig is.

Mijn vader moest ooit vijf uur stilliggen in een riool om te voorkomen dat de vijand hem vond. Wat is stilliggen in een riool vergeleken met lopen in de jungle?

De neusapen vallen niet aan. Er blijft ons een kleine catastrofe bespaard, denk ik, maar oneffenheden, situaties als deze, kunnen de aankondiging zijn van een apotheose die inzet. Het geweld kan over enkele dagen losbarsten en wie dan zoekt naar een oorzaak zal dit moment aanwijzen. Het is als de hemel, die nu nog lichtblauw is zonder dat er een wolkje te zien is, maar als we morgen onverwacht in een vreselijke onweersbui terechtkomen, zullen de gebeurtenissen van vandaag voortekenen zijn.

Voor mij praat Konraad met Danuel, de zwijgzaamste van onze groep. Waar Konraad spuugt op elke filosofische gedachte behalve de zijne en de avonden in het kamp grimmig maakt door zijn anekdotes over kannibalen, leest Danuel meestal een boek over natuurlijke medicijnen. Hij denkt veel na en zegt weinig. Zijn gitzwarte haar en baard geven zijn uiterlijk iets duivels. Nog voor Konraad en Danuel lopen Lilith en Olav. Lilith is Konraads vrouw. Ze gebruikt elk moment om me te wijzen op mijn gebrek aan nut. Iedereen brengt kennis mee. Wat doe ik hier? Waarom neem ik de plek in van een geleerde bioloog die hen zou kunnen helpen? Liever mijd ik haar om met Olav te praten en laat ik haar gefascineerd insecten onderzoeken. Ze is zo oud als mijn moeder, maar lijkt op een femme fatale uit een film noir, een sirene door wie je je graag laat verleiden.

Olav praat graag en veel, vooral over zijn vrouw en aanstaande kind, en hij is rustig. Elke honderd meter staat hij even stil, bewondert een planten- of bloemensoort en schrijft wat krabbels in een notitieboekje. Het is een klein ritueel, waarbij hij een bril uit zijn borstzakje pakt, hem met een stoffen zakdoek schoonmaakt en op zijn neus zet.

Het gesprek tussen Konraad en Danuel wordt intenser. Ik hoor dat ze steeds harder beginnen te praten. Ik spits mijn oren.

'Dit is niet normaal,' zegt Danuel met een norse blik. 'Zag je hoe Wilson naar me keek?'

Konraad denkt even na. Hij heeft de neiging zo kalm mogelijk te reageren op verontruste expeditieleden. Ik weet niet of dit in zijn karakter zit, of dat hij zich de rustige blik heeft aangemeten omdat hij vindt dat die goed past bij zijn rol als leider. Praten over zichzelf doet hij niet. Als hij al zorgen heeft, betwijfel ik het of hij dat tegen iemand zegt, ook niet tegen Lilith.

'Ik kreeg het gevoel dat hij naar iedereen keek.'

De nonchalance van Konraad stelt Danuel niet gerust en hij opent zijn ogen wijd, de blik imiterend die de neusaap hem gaf.

'Het is onwaarschijnlijk dat de dieren ons al die kilometers uit hun territorium zullen volgen naar het basiskamp,' zegt Konraad.

'Ik denk dat het lastig wordt om opnieuw zo dichtbij te komen,' zegt Danuel.

'Lastig, maar niet uitgesloten,' zegt Konraad.

Het is onmogelijk een gesprek met hem te voeren, maar ik denk dat Konraad wel degelijk rekening houdt met de kans dat de dieren ons zullen volgen. Ze leken niet kwaadaardig, maar we kwamen hun territorium binnen en dat is gevaarlijk bij alles wat leeft. Als oorlogen ons iets hebben geleerd, is het dat elk levend organisme bereid is zijn territorium tot de dood te verdedigen.

Danuel slaat zijn frustratie tegen een tak van zich af. Misschien is het bijgeloof, maar hoe langer we op de Kinabalu vertoeven, hoe meer ik het idee krijg dat je dit soort dingen hier niet moet doen. Het idee van de eilanders dat de Berg leeft houdt me steeds meer bezig.

Kevers steken het pad over dat Osu heeft gemaakt. Als de neusapen ons willen volgen, maken we het ze wel erg makkelijk. De leider schreeuwde. Het was een waarschuwing.

Ik loop Konraad en Danuel voorbij en spreek Olav en Lilith aan.

'Zagen jullie ook iets bijzonders aan die aap?'

Lilith glimlacht minachtend.

'Welke van de dertig?' vraagt ze.

Olav reageert voor ik de kans krijg de leider te noemen. 'Wilson,' zegt hij.

Het zit me dwars dat ze het dier een naam hebben gegeven. Waarom benoem je iets wat je maar één keer ziet?

Olav ademt op zijn bril, veegt hem schoon en beantwoordt mijn gedachten: 'Het zit in de menselijke natuur om alles wat hij ziet of hoort een naam te geven. Bovendien praat het een stuk makkelijker.'

Lilith knikt. Ze glimlacht even om iets waar ze aan denkt, kijkt me aan, maar deelt haar gedachten niet.

We lopen langs lianen, bamboe en andere tropische planten. Hier en daar staat een Aziatische beukenboom, dichtbij stroomt de Liwagurivier. De vogels boven ons fluiten ons na, alsof onze tocht van muziek voorzien moet worden. Olav wijst naar een van de vogels, maar ik heb de gouden fluiter al herkend aan zijn gele buik en olijfgroene rug. Ik hoor Konraad en Danuel weer praten.

'De agressie van Wilson is bijzonder. Ze horen niet vijandig te zijn,' zegt Danuel.

Konraad knikt. 'Zag je hun groepssamenstelling? Wilson heeft twee vrouwtjes.'

'Denk je dat een groep van enkel mannetjes vijandiger zou zijn?'

'Nee. Misschien zag Wilson een van ons voor een roofdier aan.'

'Ik vond dat we buitengewoon dichtbij konden komen,' zegt Danuel. 'Dat baart me ook zorgen.'

'Wat mij zorgen baart,' zegt Konraad, 'is dat de dieren zich anders gedragen dan in de onderzoeken van Bennett, Yeager, Kawabe, Mano, Macdonald en Homewood. Dit is afwijkend gedrag. Ik zal de eerste zijn die dit naar buiten brengt.'

Danuel krabt aan zijn baard.

Ik zal nooit bioloog worden, maar ik heb vaak genoeg geluisterd als mijn vader me voorbereidde op deze expeditie. Op de universiteit was men blij dat mijn vader terugkeerde. Zijn depressieve houding tegenover de mensheid namen ze voor lief, ze kregen er een begenadigd professor voor terug.

Zijn professorkant kreeg ik nooit te zien. Slechts de strenge vader, die me op mijn twintigste verjaardag bij zich riep in zijn kamertje. Voorzichtig opende ik de deur van een ruimte waar ik niet mocht komen. Het voelde alsof ik een plek betrad die tegelijk kerkhof en mysterieuze schatplaats was. Aan de muren hingen kaarten van landen die niet meer bestonden, en posters van dieren die waren uitgeroeid of hun einde nabij waren. Alles in de kamer was doordrenkt van wetenschap, maar het riekte naar de dood.

Mijn vader zat achter zijn bureau, waar boeken, kaarten en dierenschedels elkaar verdrongen om ruimte en aandacht.

'Je bent twintig, we moeten het over je toekomst hebben,' zei mijn vader.

Ik knikte en noemde hem meneer. Hij wenkte me dichterbij, de gepaste afstand die ik aanhield verkleinend. Hoewel hij op een stoel zat en me in lengte niet overtrof, had ik het gevoel dat hij boven me uittorende.

'Ik heb een expeditie voor je geregeld, onder leiding van Konraad Golding.'

Er schiet me iets te binnen wat mijn vader me heeft gezegd.

In de oorlog, zei mijn vader, *heb ik een mens gezien die met een mes het vlees van iemands gezicht schraapte om aan eten te komen.*

Ik bedenk dat de waanzin minder ver weg is dan we denken. Vooral als mensen in situaties komen waarin ze denken dat ze verloren zijn, komt de gekte langzaam naar de oppervlakte geslopen. Het is als een donker beest dat in ons allen huist.

Insecten zoemen. Primaten brullen. De zon zakt. Al snel zie ik niets meer bewegen en hoewel het oerwoud geluid maakt, heerst er ook een onbenoembare stilte. Er is hier te veel tijd om na te denken. Ik slof verder. Een stem in mijn hoofd stelt vragen. Ben ik de enige die bang is dat deze expeditie verkeerd zal aflopen? Als Osu zich in de route vergist, komen we nooit meer in het basiskamp. Niemand zal ons vinden. Een schreeuw echoot in mijn hoofd. Een mens die verdwaald is en zich verloren voelt doet rare dingen.

Zeven mensen en de Heer van de Vliegen

We worden omgeven door steeloogvliegen. De stelen waar hun ogen op rusten zijn langer dan de rest van hun lichaam. We zijn allemaal onder de indruk, behalve de eilanders, die wat naar ze slaan, alsof we hier niet met een zeldzame insectensoort te maken hebben, maar met de fruitvliegjes die jaar in jaar uit je keuken teisteren. Ik vertrouw de onverschilligheid van de eilanders niet.

'Misschien kiezen de vrouwtjes de mannetjes met de langste stelen uit om mee te paren,' zegt Lilith.

Op een varen naast me is een van de steeloogvliegen gaan zitten. Hij heeft langere stelen dan de rest. Dat zou hem de leider kunnen maken. Ik tik Lilith aan en wijs naar de vlieg.

'Hoe heet hij?'

Lilith draait zich om – god, wat is ze mooi! – en denkt even na.

'*Teleopsis Belzebuth*. Heer van de Vliegen.'

'Klinkt duivels,' zeg ik.

Uit haar rugzak pakt Lilith een plastic bak. Ze vangt

met haar blote handen het exemplaar dat ik aanwees en stopt het in de plastic bak.

'Voor onderzoek,' zegt ze.

Olav steekt zijn duim naar me op. Zo word je wel vrienden met Lilith, door haar iets over insecten te vragen. Ik schaam me voor mijn ondubbelzinnige gedrag en kijk om me heen. Gelukkig hebben Konraad en Danuel het niet gezien. Ze zijn gefascineerd door de vliegen en strekken hun armen naar ze uit om ze aan te raken. Misschien oefent Olav zijn toekomstige vaderschap op mij.

Er is iets in de manier waarop Lilith en de anderen naar de insecten kijken wat vergelijkbaar is met de blik van de biologen toen ze Wilson voor het eerst zagen. Ik heb altijd geleerd dat fascinatie goed is voor biologen, maar kun je hier niet te ver in gaan?

De onvoorzichtige manier waarop de biologen te werk gaan stoort me. En ik weet niet of de Berg toestaat dat we een van zijn bewoners zomaar gevangennemen en willen gebruiken voor wetenschappelijk onderzoek.

'Wist je dat hier ook een steeloogvlieg leeft die anderhalf jaar oud kan worden?' vraagt Olav.

De vragen die hij stelt zijn slechts bedoeld om duidelijk te maken dat hij kennis heeft van het onderwerp. Toen hij aankwam was zijn huid spierwit, alsof hij het grootste gedeelte van zijn tijd in Nederland binnen had gezeten, waarschijnlijk verdiept in biologieboeken. Nu, twee weken later, is hij vaker verbrand dan ik kan bijhouden en begint hij zowaar bruin te worden.

Konraad en Danuel zijn nog steeds in overleg. Lilith bestudeert haar gevangen exemplaar.

'Dit doet aan vroeger denken,' zegt ze en veegt haar natte haren uit haar gezicht.

'Wat was er vroeger?' vraag ik.

'Op de boerderij waar ik woonde vingen we kikkers in de zomer, met een emmer en een schepnet.'

Ik doe verwoede pogingen de vlucht van een steeloogvlieg te volgen, maar het lukt me niet. Op een stengel kruipen twee van de dieren, nog in hun larvestadium, over elkaar. Ze lijken niet te weten waar de stengel eindigt en de andere larve begint, of we hebben te maken met een kannibalistische vliegensoort. Ik wend mijn blik af. Dan kijk ik naar Lilith, die veel kalmer is, waardoor de vliegen op haar afkomen. Ze laat zich door de dieren omringen, zonder ze in hun gedrag te storen.

'Het is eigenlijk nauwelijks te bevatten hoe klein we zijn,' zegt ze zacht.

Dit soort filosofieën geeft me een ongemakkelijk gevoel. Ik kijk naar een steeloogvlieg die rustig op haar arm gaat zitten. Ze glimlacht erbij. Ik zet een stap in haar richting, en de vlieg blijft zitten.

'Je realiseert je dat je klein bent als je naar een insect kijkt,' zeg ik.

Lilith haalt haar schouders op. Ze zei het waarschijnlijk niet om een reactie te ontlokken, laat staan zodat ik haar zou begrijpen. Ik denk dat ze van mij geen inzicht verwacht.

'Ik bedoel het niet kwaad.'

Ik keer me van haar af. Het begint me te irriteren dat iedereen op een betweterige toon tegen me praat. Ik voel me een kind. Als ik geen rommel maak, mag ik blijven, maar ik word door niemand serieus genomen.

Lilith legt haar hand op mijn schouder, niet om me gerust te stellen, maar om me een les te leren en duidelijk te maken wie de meest ervaren persoon van ons beiden is. Waarom zijn mijn emoties voor iedereen zo duidelijk te herkennen?

'Iedereen is hier om een reden, Boas. Waarom ben jij hier?'

Ik kijk naar de grond en vertel haar over mijn vader, die wil dat ik bioloog word, en over de invloed die hij heeft op de universiteit, waardoor ik voor deze expeditie ben geselecteerd. Maar als ik opkijk naar Lilith, zie ik dat ze niet luistert. Ze is opgegaan in het gedrag van de steeloogvliegen om haar heen.

Dus verkies ik het gezelschap van Danuel en Konraad maar weer boven dat van Lilith en Olav, maar als ik de twee biologen nader, staken ze hun gesprek. Konraad knijpt zijn ogen tot spleetjes en kauwt ergens op, spuugt het dan uit.

Hoog in de bomen hoor ik iets ritselen. Ik wil Danuel vragen wat het is, maar hij is me voor. 'Nog een Aap van de Oude Wereld,' zegt hij. Ik kijk omhoog.

Een langoer kijkt ons aan. Oranje haren omringen zijn bleke gezicht. Hij is alleen. Langoeren leven in groepen, maar jonge mannetjes verlaten vaak hun geboortegroep en zwerven eenzaam door het oerwoud.

'*Presbytus comata,*' zegt Konraad.

De biologen lijken soms in een strijd verwikkeld om de Latijnse naam van elk dier en elke plant als eerste te noemen. Mocht het een wedstrijd zijn, dan lijkt Konraad te gaan winnen. Gisteravond vertelde hij over een inheemse folklegende, over geesten met armen en benen zo lang als bamboestelen en over een vrouwelijke geest met enorme borsten die mannen lokt om hun echtgenote te bedriegen. Ik vraag me af welke legendes echt de ronde doen onder de eilanders en welke Konraad ter plekke verzint.

Ik kijk naar de langoer. Hij kijkt terug. Oogcontact maken met dieren is een teken van agressie, dus ik kijk weg. Dan bedenk ik me en probeer het trucje toe te passen dat ik bij katten vaak gebruik: knipogen ten teken dat ik geen kwaadaardige bedoelingen heb en slechts op doorreis ben. De langoer blijft me aanstaren en klimt dan hoger in de boom en steekt over naar een struik. Hij likt en bijt even aan zijn elleboog, waarschijnlijk een mier of een larve van een insect, of heeft hij net zoveel last van de warmte als wij?

Als ons doel niet zo belangrijk was geweest, hadden we aandacht aan het dier kunnen besteden. Maar Konraad is gefocust op eeuwigheidswaarde. Hij denkt dat de grote ontdekkingen nog niet achter ons liggen, dat er nog een grote diersoort rondloopt die voor ons even onbekend is als de gorilla's dat ruim anderhalve eeuw geleden waren.

Jammer, want ik had het gedrag van de Aap van de Oude Wereld kunnen bestuderen. Het gedrag van dieren is het enige wat me aantrekt in de biologie, omdat ik denk op die manier iets over de mens te leren. Iets wat kan verklaren waarom we doen wat we doen.

Van mijn vader moet ik Apen van de Oude Wereld bestuderen, onderzoeken waarom sommige dieren hun groep verlaten en andere niet. Er moet een reden voor zijn.

We doen wat we doen, zei mijn moeder, *daar moet je verder niet over nadenken.*

We lopen verder en laten de steeloogvliegen achter ons. Lilith heeft haar exemplaar meegenomen. Iedereen lijkt opgegaan in zijn eigen wereld. Ik laat me afzakken tot het einde van de rij achter Yong, die gewoonlijk de groep sluit. Hier en daar herken ik stukken van het oerwoud. De Liwagurivier, de kromming van een varen, een groep lianen die op een standbeeld lijkt. Het ruikt ook bekender in dit deel van het oerwoud. Het kamp is nu niet ver meer. Betekent de windstilte dat er een storm op komst is?

Lilith heeft de bak met de steeloogvlieg in haar handen. Ze houdt haar vinger tegen de doorzichtige bak en de Heer van de Vliegen probeert haar vinger aan te raken. Ze kijkt naar het insect, en zijn ogen lijken te fonkelen in het licht van de ondergaande zon. Misschien begrijp ik het inderdaad niet.

Ik voel iets in mijn nek bijten. Alsof ze nog niet vervelend genoeg zijn, springen sommige spinnen hier vanuit hun web op je rug. Ik pak hem op en zet hem naast me neer op een plant. Misschien moet ik straks Danuel of Yong, de twee in deze groep met enig verstand van wonden en medicijnen, naar de beet laten kijken. Een beet kan infecteren. Ik zou er ziek van kunnen worden. Ik moet mezelf eraan herinneren dat ik oplet of ik geen afwijkend gedrag begin te vertonen.

Olav staat opeens naast me. Hij heeft gezien dat ik door de spin werd gebeten en wijst op de tropische bekerplant die naast het pad staat. Deze vleesetende plant eet spinnen door ze naar binnen te lokken en zich te sluiten, waarna de zuren hun werk kunnen doen. Ik veroordeelde de spin zojuist tot een van de naarste manieren om te sterven: levend verteerd worden.

'Sorry,' zeg ik, meer tegen de spin dan tegen Olav. Hij haalt zijn schouders op terwijl hij zijn brilritueel uitvoert en in zijn boekje wat aantekeningen over de bekerplant maakt.

Ik zie een vliegende eekhoorn nog alle mogelijke

moeite doen om uit ons zicht te blijven. Dan komen we aan bij ons basiskamp, zeven mensen en de Heer van de Vliegen.

Op een bepaalde leeftijd kun je alleen jezelf helpen

In de buitenwijken van Kota Kinabalu richtten Osu en Yong samen een tourbedrijfje op toen ze net de twintig gepasseerd waren. Ze kennen elkaar sinds ze naast elkaar zaten in een fabriek en zolen aan schoenen plakten. Toen ze allebei werden ontslagen vanwege te veel fouten, kwamen ze op het idee dat er iets beters te doen moest zijn om aan geld te komen. De twee Maleisiërs waren arm maar vindingrijk en leerden Engels om westerse toeristen en wetenschappers te kunnen rondleiden op hun berg.

De verhalen van de Berg kwamen van de overgrootmoeder van Yong.

'De Berg leeft,' zei ze met een stalen gezicht. 'Alles op dit eiland stroomt terug naar de Berg, zoals rivieren naar oceanen stromen. Respecteer dat.'

Vanwege haar ouderdom twijfelde niemand aan haar woorden en ging niemand met haar in discussie. Ze zaten en hoorden haar verhalen aan. Er was vroeger bloed vergoten op de Berg en er zou opnieuw bloed vloeien. De oude vrouw wist het zeker.

Yong hielp haar in huis en Osu hielp Yong.

'De Berg praat,' zei de oude vrouw, terwijl Yong haar thee inschonk en Osu haar hielp te gaan zitten op een vergeelde bank. 'De bewoners horen het. De Berg is ouder dan de Apen van de Oude Wereld. Hij spreekt met ze, en als je stil bent kun je de Berg horen.'

'Hoe dan?' vroeg Yong, haar het theekopje aanreikend.

'De Berg trotseert je kennis over wat mogelijk is,' zei zijn overgrootmoeder en ze knikte, alsof ze haar eigen stem hoorde en besloot dat ze gelijk had.

De vrouw had niet meer zo lang te leven, Yong merkte het aan de porties eten; ze slonken elke dag. Ze dronk nauwelijks iets, ook de thee die Yong voor haar gezet had raakte ze niet aan. Maar de geur van kamille vond ze fijn en het bezoek ook.

Haar achterkleinkind wist dat de verhalen een kern van waarheid bevatten. Hij wist dat als hij goed luisterde, hij de Berg zou kunnen horen, want hij voelde dat zijn overgrootmoeder en hij iets deelden wat verder ging dan een bloedlijn.

Later die dag, toen Osu weg was om alles in orde te maken voor de expeditie met Konraad Golding, sprak Yong met zijn overgrootmoeder toen ze op bed lag.

'Ik voel iets en ik begrijp het niet,' zei hij.

'Je voelt de Berg.'

Ze deed even haar ogen dicht en zuchtte. Yong

schrok van hoelang de pauze in haar ademhaling duurde.

'Kun je me alles vertellen voor je sterft?'

Ze glimlachte flauwtjes. 'Alles wat echt belangrijk is leer je zelf. Vergeet de dingen die anderen je vertellen. Hun kennis is niets waard.'

'Waarom niet?'

'Je vader was een man die van gokken hield en van vrouwen. Hij dacht de hele dag met zijn pik, hij moet de helft van de vrouwen in de stad hebben bezwangerd. Je moeder leed hier in stilte onder. Ze heeft nooit wat gezegd en zich altijd laten afranselen en gebruiken tot ze stierf bij de geboorte van je zusje. Toen ging je vader ervandoor. Dat zijn je voorbeelden. Wat je ook doet met je leven, doe het beter dan zij.'

'Is dat alles?'

'Dat is alles,' zei ze, voordat ze in slaap viel en enkele uren later stierf. 'Op een bepaalde leeftijd kun je alleen jezelf helpen.'

De vogels fluiten en de witte rups zoekt een nieuwe schuilplaats

De meeste primaten passen hun omgeving niet aan, ze gebruiken haar zoals ze is. De nesten van de Apen van de Oude Wereld zijn eenvoudig, zonder dak en te gebruiken voor een nacht. Behalve de mens is er geen enkele andere primaat die voedsel opslaat voor later; het dwingt ze elke dag gezamenlijk naar voedsel en water op zoek te gaan.

Hoe anders zijn wij mensen. Voor mijn blauwe koepeltent ga ik op de grond zitten. Binnen staat een stretcher met een slaapzak en daaroverheen een klamboe, met moeite strak gespannen. Of dat werkelijk alle insecten buiten houdt, daar durf ik niet over na te denken. Bovendien zijn hier beesten die zich een weg door je tentzeil heen vreten. Een klamboe zal dan ook geen probleem zijn.

Iets moet ik hier over mezelf kunnen leren. Een tocht in de jungle is een reis in je hoofd, een weg die je alleen zelf kunt afleggen. Niemand kan je helpen op het pad naar volwassenheid.

De biologen kan ik niets vragen en iedereen hier

lijkt zichzelf al te kennen. Soms lijken ze mij beter te begrijpen dan ik zelf doe, maar tijd of zin om daarover uit te weiden hebben ze niet. Soms kijken ze me aan alsof ze een storm zien aankomen die diep binnen in mij woedt en probeert naar buiten te breken. Ik kijk omhoog en vraag me af hoelang de lucht rustig blijft als iets in de jungle eronder broeit.

Olav zit op zijn hurken en kijkt naar een plant, Danuel leunt tegen een boom en sluit zijn ogen. Konraad bladert door papieren.

Osu en Yong zitten voor hun tent met elkaar te praten. Ze zijn niet bezig met diersoorten. Hun wereld is een andere dan de onze; hij bestaat slechts uit hun families, hun kinderen en grootouders en hoeveel ze te eten hebben, vandaag en morgen. Daar houdt de wereld op, erachter is een grote leegte waarover anderen zich druk maken, een leegte die door Osu en Yong niet te betreden valt. Er is daar niets.

Ik schrijf in mijn notitieboek: *Er zijn mensen die denken dat bergen leven, dat planten voelen en dat diersoorten met elkaar communiceren om een algehele balans te bewaken.*

Dan word ik afgeleid door een rode vlinder die voor me vliegt. Even denk ik aan Lilith, die haar armen maar hoeft te spreiden en er komen insecten op zitten, alsof ze aanvoelen dat ze bij deze vrouw niet bang hoeven zijn om weggeslagen of gedood te worden. Ze laten zich graag door deze sirene betoveren. Misschien voelen insecten dat aan, zoals honden het aanvoelen wanneer je bang bent of boos of onrustig.

Ik steek mijn arm uit om de vlinder beter te bestuderen. Bijna gaat de vlinder zitten, tot ik word aangestoten door Konraad. De vlinder vliegt weg.

'Weet je nog wat ik zei over kannibalen?' vraagt hij.

De verhalen die de expeditieleider aan iedereen vertelt over de menseneters die vroeger in oerwouden als deze leefden lijken bedoeld om ons angst aan te jagen. Elke ochtend bij het ontbijt vraagt hij met een grijns hoe iedereen heeft geslapen, en hoe langer we hier zijn, hoe vaker de kannibalen terugkomen in onze dromen. Maar misschien hebben ze een functie. Konraad wil laten merken dat hij de gruwelijke verhalen niet bedreigend vindt en stelt zo zijn positie als alfaman vast. Hij lacht breed en laat zijn tanden zien. Het valt me opeens op hoe borstelig zijn wenkbrauwen zijn. Nog even en dan hoort hij thuis in de verhalen die hij 's avonds vertelt, zoals eigenlijk alle vertellers stiekem in hun fantasie willen opgaan. Angst kan je niet meer raken dan dromen dat kunnen.

Konraad loopt weg, bewaart het verhaal voor een andere keer. Ik wil met iemand praten, het liefst met Olav, maar die is bezig – altijd nieuwe planten om te bestuderen, nieuwe aantekeningen om te noteren – dus loop ik naar Lilith Pallas, die in een grote tent onderzoek doet.

Hoe ze ook haar best doet me af te stoten, er is iets aan haar wat me aantrekt. Zou dat alleen komen omdat ze een vrouw is? Ben ik in wezen niets meer dan de wilde voor wie ik Konraad houd? Ik nader haar voorzichtig en ruik haar geur, die me kalmeert.

'Ik krijg zo langzamerhand een naar gevoel over deze plek,' zeg ik.

Ze heeft duidelijk geen zin in een gesprek. Zonder haar ogen van de bak met daarin de steeloogvlieg te halen, zegt ze: 'Een naar gevoel? Als ik vroeger zeurde over een naar gevoel, kreeg ik een pak slaag.'

Een ander zou misschien omkeren en de tent uit lopen na zo'n antwoord. Ik voel me als een mot die 's nachts het licht van de maan probeert te bereiken. Wat maakt dat hij doorzet?

'Ik weet niet waar we ons bevinden,' zeg ik.

Dit lijkt te werken, want Lilith zucht en kijkt me even aan.

'Probeer wat uit te rusten, Boas, of begin aan het avondeten. Het heeft geen zin om zo te denken. De enige manier om ervoor te zorgen dat alles goed verloopt, is continu gefocust blijven. Concentratie is belangrijk, denken aan problemen werkt ze alleen maar in de hand.'

Ik zeg haar dat ik dat zal doen, bedank haar voor haar raad en laat haar alleen. Het zijn mooie woorden, meer niet.

Ik loop wat rond in het kamp, breek een tak van een

boom en sla ermee op een paar gevallen bladeren op de grond. Een harige rups komt eronder vandaan gekropen, zijn schuilplaats voor de dag is aan stukken. Hij heeft lange witte haren die ik niet durf aan te raken.

Sommige apen breken takken van bomen en halen de bladeren eraf om de takken te gebruiken voor het doorboren van mierennesten. Ze gebruiken ze om honing uit bijenkorven te halen, om voedsel tussen hun tanden vandaan te halen. Ze gebruiken droge bladeren als sponzen om water uit holle boomstammen te halen. Ze breken noten met stenen. Geen van deze vaardigheden ontstaat bij de apen zelf; ze leren het van elkaar, een van de voordelen van groepsdier zijn. Ook wij zijn groepsdieren, we zoeken veiligheid en geborgenheid, maar de paradox die dit vormt met je eigen ontwikkeling is onoplosbaar.

'Wat schrijf je?' vraagt Danuel, die achter me is komen staan. Zijn zware stem dringt diep in me door. 'Je schrijft zeker liever dan dat je je met biologie bezighoudt?'

Ik knik. 'Het zijn nauwelijks leesbare aantekeningen,' zeg ik.

Danuel kijkt me niet-begrijpend aan.

'Ik verzamel dingen die me opvallen. Het zijn vooral aantekeningen over andere mensen die ik ben tegengekomen.'

Danuel krabt aan zijn baard. 'Maar waarom?'

'Ik wil de gekken laten zien, de teruggetrokkenen, de waanzinnigen.'

'Heb ik je weleens over mijn vrouw verteld?'

Ik schud mijn hoofd, ik dacht dat hij een alleenstaande vader was, verlaten door zijn vrouw vanwege zijn stugge voorkomen.

'Lea verdronk zichzelf. Ze zat in een depressie en was bang om waanzinnig te worden. Neem van mij aan: in de wereld van waanzin wil je je niet storten.'

Hij draait zich om en loopt weg. Ik kijk hem na. Als ik in mijn nek krab, voel ik de spinnenbeet niet meer. Als Danuel iets in mijn nek had gezien, had hij er wel wat van gezegd, toch?

De lucht betrekt. Ik zie ons vanuit vogelperspectief in het oerwoud bezig. Wat zijn we meer dan wilden?

Uit de jungle klinken de melodieën van de gouden fluiter. In de verte rusten de neusapen in hun groep op de takken. Boven me staart een zwarte zangvogel met rode ogen me aan. Hij wil zijn nest verdedigen en in zijn kraaloogjes zie ik dat hij daarvoor tot alles bereid is. Net nu de expeditie door de vondst van de neusapen en de steeloogvliegen in een stroomversnelling is gekomen, voel ik alleen maar mijn angst toenemen. De vogels fluiten en de witte rups zoekt een nieuwe schuilplaats.

De groep van Wilson was nauwelijks agressief

Konraad heeft een schema opgesteld voor de komende dagen. We gaan terug naar de neusapen om ze te observeren en te bestuderen:

Dag	*Activiteit*
13-14	Bij de Liwagurivier de neusaapgroep benaderen.
15-18	Gehele dagen de groep observeren.
19-20	De omgeving van het gebied van de neusapen inspecteren.

Dat geeft ons de komende dagen wat te doen; daarna kunnen we dieper het oerwoud in trekken.

Olav zal zich bezighouden met het onderzoeken van de bladeren, jong en oud; met rijp en onrijp fruit en bloemen om te zien welke exemplaren de neusapen eten. Lilith doet hetzelfde bij de insecten. Het doel is monsters te nemen, die zo koel mogelijk op te slaan in het kamp en ze na afloop van de expeditie in het laboratorium te laten testen.

Veel pogingen van andere biologen om de *Narsa-*

lis larvatus te bestuderen zijn gefaald. Alleen door de neusapen vanaf een boot op de rivier te naderen, konden ze dichtbij genoeg komen om de dieren goed te kunnen observeren. Waarom Wilson en zijn groep ons zo dichtbij lieten komen over land is een raadsel. Ik heb verslagen gelezen van biologen die schreven dat de dieren op de vlucht sloegen zodra je binnen een straal van vijftig meter kwam. Er werd aangeraden geen felgekleurde kleren te dragen, dat hebben we opgevolgd.

De *Narsalis larvatus* slaapt elke nacht in de bomen naast een rivier. Daarom heeft Konraad veel tochten naar de neusapen gepland tussen 16.30 en 18.30 uur, vanaf het moment dat de dieren gewoonlijk bij hun slaapplek aankomen en het te donker wordt om ze te tellen. We zullen ze ook om 5.45 uur 's ochtends bezoeken.

TABEL 1: WEERCATEGORIEËN

Weer (1-5)	1: Droog en zonnig; 2: Droog en niet zonnig; 3: Miezer die niet door het bladerdak dringt; 4: Regen die door het bladerdak dringt en de grond bereikt; 5: Hevige regen die het zicht bemoeilijkt.

Bewolking (0-8)	0: Geen bewolking; 2: 25% bewolking; 4: 50% bewolking; 6: 75% bewolking; 8: 100% bewolking.
Wind (0-2)	0: Te verwaarlozen; 1: Bladeren bewegen; 2: Takken bewegen.

TABEL 2: LEEFTIJD EN GESLACHT

Categorie	Criteria
Volwassen mannetje	Mannelijke neusaap, volledig volgroeid, volgroeide neus, manen op zijn rug. Hij heeft een vleeskleurig gezicht en een gele hals. Er is een duidelijke driehoekige witte vlek rond zijn geslacht, leidend naar een lange en dikke witte staart. De rest van zijn vacht is voornamelijk roodbruin.
Volwassen vrouwtje	Vrouwelijke neusaap, volledig volgroeid. Vergeleken met het mannetje heeft ze een kleinere neus. Haar kont en staart zijn donkerder en de staart is minder dik.

Adolescent mannetje	Mannetje op driekwart van zijn grootte, zonder de volledig ontwikkelde neus en de manen op zijn rug. Verder hetzelfde als het volwassen mannetje.
Adolescent vrouwtje	Vrouwtje op meer dan driekwart van haar grootte, maar nog niet volledig volgroeid.
Tiener 2-mannetje	Mannetje met een volwassen gekleurd gezicht en bruine vacht, maar nog niet op driekwart van zijn uiteindelijke grootte. Tiener 2-mannetjes kunnen groter zijn dan volwassen vrouwtjes.
Tiener 2-vrouwtje	Vrouwtje met een volwassen gekleurd gezicht en een bruine vacht, maar nog niet op driekwart van haar uiteindelijke grootte.
Tiener 1-mannetje	Mannetje met een volwassen gekleurd gezicht en een bruine vacht, maar nog niet op de helft van zijn uiteindelijke grootte.
Tiener 1-vrouwtje	Vrouwtje met volwassen gekleurd gezicht en een bruine vacht, maar nog niet op de helft van haar uiteindelijke grootte.

Kind 2	Mannetjes en vrouwtjes met bruine vacht op hun hoofd en lichaam, maar met ten minste wat donkere vacht op hun gezicht.
Kind 1	Mannetjes en vrouwtjes met donkerbruine en zwarte vacht op hun lichaam en/of hoofd en een donkergekleurd gezicht.

TABEL 3: ACTIVITEITEN

Activiteit	Definitie
Zitten*	Het dier zit, maar is niet bezig met enige andere activiteit, behalve hangen (zie Hangen).
Staan*	Het dier staat op twee of vier poten, maar is niet bezig met enige andere activiteit.
Liggen*	Het dier ligt en is niet bezig met enige andere activiteit.
Verplaatsen	Elke beweging tussen twee plekken. Verdeeld in 1. verplaatsen op dezelfde boom; 2. verplaatsen tussen bomen; 3. verplaatsen op de grond; 4. zwemmen.
Verzorgen	Al het krabben of wassen met handen, voeten of mond. Verdeeld in 1. zichzelf wassen; 2. een ander wassen; 3. door een ander.

Voeden	Het dier eet, kauwt of heeft voedsel vast.
Zuigen	Het dier wordt gezoogd door een volwassen vrouwtje.
Drinken	Het dier drinkt of likt vocht.
Hangen	Het dier hangt aan een ander dier met beide handen. Het gewicht van het dier kan wel of niet door de ander gedragen worden.
Moeders helpen	Het dier helpt met het verzorgen van een ander kind; of het kind wordt door een ander dier dan zijn/haar ouders verzorgd.
Spelen	Achtervolgen, worstelen, ontdekken en andere bewegingen die geen doel hebben. Spelen kan alleen of met een of meerdere andere dieren.
Paren	Het dier plaatst zichzelf achter en boven een ander, met geslachtelijk contact. Verdeeld in 1. mannetje bestijgt vrouwtje met penetratie; 2. homoseksuele bestijging met penetratie; 3. heteroseksuele bestijging zonder penetratie.
Agressie	Het dier is agressief of wordt agressief bejegend. Verdeeld in 1. zonder fysiek contact (met open mond en vijandig gezicht); 2. met fysiek contact (grijpen, slaan, bijten).

Roepen**	Elke roep door een dier: ganzenkreet (als een toeter), geknor, geblaf, gehoest, gegil en geschreeuw.
Plassen	Het dier plast.
Poepen	Het dier poept.

** Bij zitten, staan en liggen is ook de richting waar het dier naar kijkt genoteerd. De categorieën waren: 1) kijkend naar de bioloog; 2) kijkend naar andere mensen; 3) kijkend naar andere neusapen; 4) kijkend naar andere dieren; 5) generale observatie (geen duidelijke richting); 6) rustend/slapend (ogen dicht).*
*** Meestal gepaard met een van bovenstaande activiteiten.*

Ik bekijk de resultaten die we tot nu toe hebben van ons bezoek en de manieren waarop we alles noteren.

Naast de talloze grafieken vol cijfers en de pagina's aan beschrijvingen van het gedrag van de dieren hebben we een paar dingen vastgesteld:

– De neusapen verplaatsen zich niet verder dan driehonderdvijftig meter van de Liwagurivier.
– De neusapen hebben een leefgebied van ongeveer vierendertig vierkante kilometer.
– Vaak zijn er tien neusapen per vierkante kilometer in de jungle te vinden.
– Neusapen leven vaak in harems van ongeveer twintig dieren (een man, meerdere vrouwtjes en kinde-

ren); soms verlaten jonge neusapen de groep om een nieuwe groep van uitsluitend mannetjes te vormen van ongeveer tien dieren.
– De groepen naderen elkaar vaak, maar het komt niet tot strijd.
– De groep van Wilson heeft negenentwintig neusapen, waarvan een man (Wilson), twee vrouwen en verschillende adolescenten en oudere/jongere kinderen.
– De groep van Wilson was nauwelijks (minder dan 0,7%) agressief.

Bloedzuigers proberen door mijn kleren heen te bijten

Ik voel een steek in mijn enkel, een scherpe, brandende pijn. Ik schreeuw, ik ben gebeten. Nog net zie ik een kleine slang wegglippen, voldaan terug het oerwoud in. Lilith is de eerste die bij me is.

'Niet bewegen,' zegt ze, ietwat geïrriteerd. Vindt ze me nog waardelozer nu ik gestoken ben?

De dood, vertelde mijn vader vroeger, *is pijnloos. Zo weet je dat het begint.*

Dood ben ik nog niet, want ik verga van de pijn en schreeuw het uit. Tot honderden meters verder in de jungle komen er dieren in beweging om zich te verwijderen van het monster dat deze geluiden maakt. Bloembladeren vouwen zich in, lianen kronkelen zich op en vogels zoeken hun nesten op. Zelfs de lucht trilt vanwege het vreselijke lawaai. Het monster ben ik.

'Godverdomme, het doet pijn!' roep ik.

De anderen hebben me gevonden en staan in een kring om me heen.

'Een slang,' zegt Lilith.

'Hij kwam uit het niets,' zeg ik.

We kijken elkaar aan. Lilith ziet dat haar woorden van eerder die dag vergeefs waren. Concentratie. Focus. Ze moet paniek zien, want nu komen de geruststellende woorden. Alles komt goed, vertellen de biologen me een voor een, alsof ze allemaal slangenexperts zijn.

Zoek mensen om je heen die je beschermen, zei mijn moeder. *Dan sta je sterker.*

Danuel knielt naast me neer. Hij heeft verstand van wonden. Toch zit ook hij in de jungle, ver van de beschaving en ver van het ziekenhuis. Er is geen vervoermiddel. Ik lig op de grond en zie hem nadenken. Als de slang die me gebeten heeft erg giftig is, zal het zonlicht dat door de bladeren heen schijnt het laatste daglicht zijn dat ik ooit zal zien. Dan zal ik het einde van de nacht niet halen.

Lilith zoekt in de struiken naar de slang. Danuel glimlacht naar me.

'Denk aan iets waar je van houdt,' zegt hij. Met dat soort uitspraken weet je zeker dat het pijn zal doen. Waar hou ik van?

Wandelen in besneeuwd Amsterdam, en kijken naar de mensen die ik tegenkom, proberen me hun levens voor te stellen. Soms denk ik dat ik een mens kan doorgronden, de lagen beschaving er zichtbaar kan afpellen, tot er beesten overblijven. Zoals de jungle nu ook doet. Ik moet me concentreren op de toekomst, ik moet denken aan wat ik wil met mijn leven.

Maar wat ik wil is niets; ik wil me terugtrekken, wandelen en de lagen van de mens afpellen. Misschien zou ik filosoof kunnen worden, een denker die zich terugtrekt uit de maatschappij en onder aan de sociale ladder staat, nog lager dan de prostituees. Maar ik weet nu wat erger is dan onder aan de ladder staan, dan arm en eenzaam zijn: niet weten waarvoor je leeft, sterven zonder iets betekend te hebben. Het omarmen van een diepere waarheid en geen kans hebben die te delen. Ik zie uit naar het einde van deze expeditie, als ik mijn vader eindelijk kan zeggen dat hij het kan vergeten, zijn zoon als bioloog, en dat ik andere dingen wil doen met mijn leven, ook al weet ik niet wat.

Dat schiet door mijn hoofd als Danuel het gif uit mijn enkel zuigt.

Als ik het me niet verbeeld, zet hij ook zijn tanden in mijn been. Voel ik de beet van de slang nog of bijt hij me in mijn enkel? Ik kreun zachtjes en staar naar de boomtoppen. Bewoog daar iets?

'Is het erg?' vraag ik.

'Valt mee,' zegt Danuel.

Hij gebaart naar Yong. Ik haat het als ik niet weet wat er gebeurt. Was deze slang giftig? Lilith heeft hem gevonden, groen en klein met nauwelijks een patroon op zijn huid. Ze toont de kronkelende slang en ik herken de kleuren, al weet ik niet of het precies dezelfde is. Het lijkt wel zo. Hij kijkt naar me alsof hij me pijn wil doen, alsof ik me op zijn gebied begeef zonder te gehoorzamen aan de ijzeren wetten van de jungle. Ik wend me af. Danuel grinnikt.

'Mooi exemplaar, vind je niet?'

'Als hij me niet had gebeten, misschien dan wel,' antwoord ik.

'Hij is banger voor jou dan jij voor hem. Wil je hem aaien?'

Konraad gebaart de lachende Danuel me met rust te laten.

'Zijn tandafdrukken staan in mijn been. Niet andersom!' schreeuw ik. 'Duivelse slang.'

Niemand lijkt zich nog om me te bekommeren. Ze herkennen de slang, hij is niet giftig. Dat ik verga van de pijn is van geen enkel belang.

'Misschien is het wel een nieuw soort slang die me een bijna dodelijke beet heeft toegebracht,' zeg ik cynisch.

Lilith zegt dat ik me niet moet aanstellen en mengt zich dan in een discussie tussen Konraad en Danuel. Ik zie tekens op haar arm staan. Vreemd, ze heeft de aantekeningen over de Heer van de Vliegen op haar arm geschreven. Was het papier niet voldoende? Zou ze de woorden dicht bij zich willen dragen? Naast de krabbels is een rode kring te zien. Ik slik. Heeft ze zich bewust laten steken door de Heer van de Vliegen? Houdt ze bij hoe de beet zich ontwikkelt?

Yong legt ondertussen bladeren op mijn been,

waarvan ik me afvraag of ze zullen helpen. Een paar meter naast me zit Osu tegen een boom geleund met zijn ogen dicht, aan de andere kant kijkt Olav op zijn hurken naar bloemen.

'Dit overleef je wel,' zegt Danuel.

'Een beetje actie, dat konden we wel gebruiken,' zegt Konraad.

In alles heeft de expeditieleider het in zich om de ster te zijn van een Hollywoodfilm waarin een groep mariniers een dodelijk monster in de jungle bestrijdt, zowel in een actiefilm als in een psychologische horrorfilm waarin de mariniers het monster zelf zijn. Konraad is onze held; de grootheidswaanzin, eerzucht en hang naar macht draagt hij op zijn gezicht als een masker dat met zijn huid versmolten is. Lang heb ik gedacht dat er een moment komt waarop het masker opeens zal loslaten en Konraad zal bewijzen dat hij meer is dan een man die sarcastische opmerkingen maakt als je met een slangenbeet op de grond ligt, maar nu weet ik het niet zeker meer.

De biologen hijsen me overeind. Ik mopper wat, maar ben tegelijk blij niet meer op de grond te liggen. Danuel zegt dat de beet er een is die ik eruit moet lopen.

Ik schrijf in mijn notitieboek: *Er zijn mensen die denken dat je moet vechten om te overleven. Ze geloven in het recht van de sterkste.*

Kevers en spinnen beginnen zich een weg in mijn

kleren te zoeken. Ik kijk naar mijn broek. Bloedzuigers proberen door mijn kleren heen te bijten.

Toen ik vijftien was vond mijn moeder een dode raaf op mijn kamer

Met moeite loop ik een stukje. De slangenbeet prikt en de bladeren die Yong eromheen heeft gebonden irriteren, maar hij verzekerde me meer met gebaren dan met woorden dat het de wond ten goede zou komen.

Ik ga in de grote tent achter een kleine typemachine zitten, het enige voorwerp van waarde dat ik heb meegenomen, om te schrijven over het groepsgedrag van de primaten. Dat heb ik mijn vader beloofd; het is een van de redenen waarom hij wilde dat ik meeging op de expeditie, een verslag van een grote ontdekking wordt immers gelezen door alle belangrijke biologen ter wereld. Een computer zou de vochtigheid niet overleven, de ouderwetse typemachine wel.

Ik pak mijn aantekeningen erbij. Ik kan beschrijven hoe de biologen reageerden toen ze de neusapen zagen, Olav op zijn knieën voor de bekerplant of Lilith omringd door steeloogvliegen. Ik weet niet waar te beginnen. Mijn gedachten dwalen af naar Lilith. Hoe zou ik haar beschrijven? En zou ik mijn fantasie bij haar de vrije loop durven laten?

Een gedachte aan Lilith dringt zich op: haar tong in mijn mond, haar tong in mijn nek, haar spieren trillend onder me.

Zo kan ik niet werken, zeker niet nu haar man en de anderen continu om me heen lopen en met van alles bezig zijn in het kamp. Ik denk aan de opdracht van mijn vader.

Leren van elkaar is een van de belangrijkste redenen voor apen om in groepen te leven. Jonge apen leren hoe te overleven van de ouderen; als ze volgroeid zijn en genoeg kennis hebben opgedaan, zorgt de sociale interactie ervoor dat ze bij elkaar blijven.

In groepen kunnen primaten makkelijker vijanden afweren of intimideren. Ze hebben samen een grotere kans om voedsel te vinden.

Dat is waarom de neusapen samen blijven, onder leiding van Wilson. Elke avond trekken ze terug naar de bomen die naast de Liwagurivier staan, om zo veel mogelijk ontsnappingsmogelijkheden te hebben, al hebben roofdieren als pythons, krokodillen en luipaarden het woud, de grond en de rivier als jachtgebied. Samen sta je sterk.

Ik kijk naar wat ik heb genoteerd toen ik naar de neusapen keek:

1. Wilson was 50% van de tijd minder dan een meter van een andere neusaap verwijderd. Hij was bijna 100% van de tijd minder dan twee meter van een ander verwijderd.
2. Elk volwassen vrouwtje was 90% van de tijd minder dan twee meter van een ander verwijderd. Elk volwassen vrouwtje zonder een kind dat aan haar hing was meer dan 40% van de tijd minder dan een meter van een ander verwijderd.
3. Elke Tiener 2 was meer dan 60% van de tijd binnen een meter van een ander. Elke Tiener 1 was meestal binnen een meter van een ander.

Als ik wil gaan typen, loopt er een wandelend blad over mijn toetsenbord. Halverwege blijft het even staan en kijkt naar de letters, ziet waar het zich bevindt. Achter de spatieknop laat een minuscule duizendpoot zijn kopje zien. Dit alles gebeurt uiterst traag, maar na de beet van de slang ben ik angstiger. Ik wacht rustig af tot het wandelend blad de toetsen heeft vrijgegeven en tot de duizendpoot de machine heeft verlaten en de tafel heeft bereikt. Ik droom weg.

Mijn vader zei dat mensen de enige echte beesten waren, dat we dat hadden bewezen in de geschiedenis. Af en toe liet hij iets los over zijn tijd in Afrika, de periode waarin hij het gevoel had gehad de mensheid te hebben doorgrond. Het paradijs was niet meer toegankelijk voor ons nu gebleken was tot welke waanzin we in staat waren. Beesten waren we, nergens goed voor, en hij zag mij als het grootste beest.

Een uur later schrik ik wakker en realiseer me dat we elk moment kunnen gaan eten. Slaperig loop ik naar de wankelende tafel waar de zes anderen zich hebben verzameld.

'Expedities worden legendarisch door hun ontdekkingen,' zegt Konraad. 'Niet dat we iets groots hebben ontdekt, maar het is een begin.' Hij houdt een kleine toespraak en eert de vondst van de neusapen en de steeloogvliegen, waarna we onze glazen heffen voor de negenentwintigste verjaardag van Olav. Dan probeert Danuel een fles champagne te ontkurken. Lilith ziet mijn verbaasde gezicht.

'Het is misschien een beetje voorbarig, maar de vondst van de steeloogvliegen moet gevierd worden.'

Het lijkt of ze zich verontschuldigt. Maar misschien hebben ze wel gelijk. Als één bioloog een zeldzaam dier vindt, is iedereen blij. Ik denk aan Liliths insect met de stralende ogen. Ik wil opstaan om naar het beestje te kijken, maar Danuel houdt me tegen. Het is tijd voor verhalen.

Bladneusvleermuizen vliegen over. Met duizenden bevolken ze 's nachts het luchtruim. In het maanlicht zien ze er fascinerend uit.

Danuel vertelt over zijn blinde dochter Sterre. Hij probeert met de onhandigheid van een wetenschapper te beschrijven wat hij voelde toen hij haar voor het eerst zag. Over de gevoelens die hij heeft als hij aan haar denkt, een wonderschoon meisje dat zichzelf nooit zal kunnen zien. Volgens de bioloog heeft ze fonkelende ogen, haast lichtgevend. Hij vindt het jammer dat ze er niet bij is, niet kan zien wat hij ziet.

'Wat mist ze dan? Wat is er hier dan dat zo vol schoonheid zit dat het gezien moet worden?' vraag ik.

'Niet alles hier is mooi, dat geef ik toe. Maar ook lelijke dingen verdienen het om gezien te worden,' zegt hij.

Ik zucht. Konraad zet de fles champagne hard neer op tafel.

'Jij loopt al vanaf het begin te zieken, Boas,' zegt hij. 'Je bent al sinds het begin bezig deze expeditie te dwarsbomen. Constant heb je het over gekte, over oorlog, over waanzin. Maar de enige die hier gek is ben jij. Jij bent de enige hier die geen flauw idee heeft van wat hij hier doet.'

Tot mijn verbazing neemt Lilith het voor me op. Ze zegt dat ik tegen haar ook over andere zaken praatte. Konraad wil van niets weten.

'Ik ben het zat.'

De woorden zijn mijn mond uit voor ik er erg in heb. Ik kijk de tafel rond, en iedereen behalve Konraad staart stil naar zijn bord. Hij kijkt me aan. Hij wist dat dit zou komen. Ik had het niet moeten zeggen, maar ik kan het niet terugnemen. Ik moet mijn excuses aanbieden, want ik heb de verhoudingen binnen deze groep benoemd, en nu staan ze vast: 'Mijn vader financiert deze expeditie.'

Lilith is degene die de stilte verbreekt.

'Ik snap dat het lastig is zo alleen in de jungle, bij ons, maar je kunt niet van ons verlangen dat we ons daarvoor excuseren. Wat wil je? We zitten hier nu. Het is wat het is.'

Olav en Danuel ontwijken nog steeds mijn blik, ze wrijven door hun baarden. Osu en Yong hebben het gesprek nauwelijks kunnen volgen.

Vrienden, zei mijn vader, *leer je pas echt kennen wanneer je een brood moet verdelen met zijn vijven om er een week mee te doen.*

Ik zeg dat ik last heb van de slangenbeet en loop naar mijn tent. Witgekleurde kokermotten houden me gezelschap. Ik voel me onbegrepen, eerder verwant aan deze dieren dan aan de vier biologen die aan tafel zitten. Osu en Yong lijken onvoorwaardelijk onpartijdig. De gidsen wonen in een klein huis in Kota Kinabalu. En ieder woont daar met zijn hele familie. Ooms, tantes, ouders, kinderen. Ze zijn even oud als ik en hebben al kinderen.

Ik ben in de war. Waarom liet ik me zo gaan? En waarom voel ik me hier zo anders?

In de tent ga ik meteen op de stretcher liggen. Ik sluit mijn ogen en luister naar de geluiden van het oerwoud. Ik denk aan Danuels dochter. Sterre. Een meisje op school heette ook zo. Ik heb haar al tijden niet meer gezien. Hoe zou het met haar gaan? Had zij ook dominante ouders, en zo ja, wist zij dan wel een manier om met ze om te gaan, om te zorgen dat ze kon doen wat ze wilde? Ik neem me voor haar op te zoeken als ik terug ben.

Het is klam in de tent. Er is zoveel aan het oerwoud te ontdekken met je zintuigen. De afwisseling. De dynamiek. Het lijkt wel een eeuwigdurende compositie van de natuur. Insecten, vogels, amfibieën. Het ritselen van de bladeren van onzichtbare dieren.

Apen zijn intelligent genoeg voor taal, maar ze hebben hun beperkingen. Ze hebben niet de stembanden om een taal zo complex als de menselijke te spreken, maar zowel chimpansees als bonobo's kunnen goed overweg met gebarentaal en symbolen, zolang het gaat over het heden. Het verleden en de toekomst begrijpen ze niet.

Ik hoor Lilith buiten praten. Ze vertelt over haar jeugd. Ik stop mijn hand in mijn broek en begin me langzaam af te trekken.

Lilith vertelt: 'Toen ik vijftien was vond mijn moeder een dode raaf op mijn kamer...'

Op een dag loop ik weg en ziet niemand me meer terug

Toen ik vijftien was vond mijn moeder een dode raaf op mijn kamer, de botresten, vlees en bloed waren omgeven door vliegen en maden. De geur drong overal in door waar lucht kon komen. Ik had de vogel een paar dagen eerder gevonden en kon niet anders dan hem met me meedragen naar huis. Iemand had zijn ogen uitgestoken, van zijn kop was nauwelijks iets over. Ik voelde een diep medelijden met de vogel, ik wilde hem mee naar huis nemen om te begraven, samen met mijn buurjongen Malcolm. Tot hij weer langs zou komen zou ik de vogel in mijn kamer bewaren.

Ik was doodsbang dat iemand hem zou vinden, mijn moeder of mijn stiefvader, Vincent. Hij was grafdelver van beroep, het soort waarbij je van de buitenkant al kan zien dat ze zich geregeld met de dood bezighouden. Hij rook zelfs naar de dood. Als hij met je sprak, zag je voor je hoe de lichamen van overledenen langzaam in een kist werden gelegd, onder de grond werden gestopt en hoe die aarde werd aangestampt door schoenen met ijzeren neuzen, bevochtigd door zweet. Ik voelde me in dat huis alsof ik gevangenzat in een groot rad. Ik was het middelpunt zonder dat ik dat wilde zijn. Er viel niet aan te ontsnappen.

Mijn moeder vond de raaf, maar liet de confrontatie aan Vincent over. Hij kwam naar boven gelopen, traag als altijd.

'Lilith Pallas! Wat is dit voor waanzin?' riep hij.

Hij sprak als een grafdelver, koud, kil, alsof hij de woorden uitbraakte. Zijn wenkbrauwen zaten altijd vol zand. Ik heb hem nooit zonder zanderig haar gezien, alsof hij de aarde die boven op de doden lag in zijn haar smeerde, om de ervaring van het dood-zijn te voelen. Ik denk dat elke grafdelver een bepaalde fascinatie met de dood heeft die te ver kan gaan.

'Zeg je nog wat? Waar komt dit vandaan?'

Ik keek hem aan, om in zijn ogen te ontdekken wat hij al wist en waar hij nog naar raadde. Vincent vroeg naar de feiten die al bekend waren; zo testte hij je. Ik durfde niet te zeggen waarom ik de vogel naar binnen had gesleept, maar dat hoefde ook niet. Hij wist alles al.

'Je weet wat er komt.'

Soms sprak hij zinnen uit waar er wat extra spuug bij kwam, dat hij vervolgens met zijn tong weer uit zijn baard likte. De kleine beweging die zijn ogen hierbij maakten verraadde dat hij ze lekker vond, die zinnen, dat hij er genot aan beleefde. Nu deed hij dat niet; hij was net bezig zich te scheren toen mijn moeder hem op me afstuurde, ik zag de stukken scheerschuim nog aan zijn kin hangen.

Ik zei dat ik het dier had bewaard voor mijn buurjongen Malcolm, dat we de raaf samen wilden begraven, dat ik alleen maar wilde helpen.

Vincent zuchtte even. Hij veegde het zand van zijn broek en ging toen op een knie zitten. Hij had de gewoonte zich eerst schoon te maken voordat hij zich in nieuwe modder liet zakken. Hij wreef met een hand over zijn snor en knikte even.

'Ik wil niet dat je met dat soort mensen omgaat.'

Hij trok wat met zijn linkermondhoek toen hij dit zei.

'Ik wil niet dat je ze binnenlaat en dode beesten aan ze geeft.'

Voor ik nee kon schudden greep hij mijn kin met beide handen beet. Hij kneep, hij wist nooit hoe hij mensen zachtjes moest beroeren, en de tranen liepen over mijn wangen. Zijn blik was vol walging toen de tranen contact met zijn huid maakten. Het is een wonder dat ik niet meer blauwe plekken had. De man was volslagen incompetent als het om liefhebben ging. Maar één ding deed de pijn altijd: zorgen dat je de waarheid sprak.

'Laat me los!' riep ik.

Hij keek me met grote ogen aan, liet me los en sloeg me toen hard in mijn gezicht.

'In mijn huis luister je godverdomme naar mij!'

Als Vincent zo schreeuwde, kwam de doodslucht uit de graven zijn mond uit. Ik werd misselijk van die geur. Vaak moest ik er bijna van overgeven, maar probeerde ik me uit alle macht in te houden. Ik dacht: op een dag loop ik weg en ziet niemand me meer terug.

Al snel droom ik dat ik een verandering heb ondergaan

Ik kijk rond in de tent, haal mijn hand uit mijn broek en pak mijn notitieboek erbij. Het boek is niet gemaakt voor het vochtige klimaat. Bladzijdes plakken aan elkaar, zoals alles hier iets zoekt om zich aan vast te klampen. Ik schrijf: *Er zijn mensen die denken dat een onzichtbare god over ons regeert. Dat kunnen dezelfde mensen zijn die Hem zien in elk stukje natuur om hen heen.*

Een neusaap brult in de verte. Is het een moeder die haar zoon binnenroept? Een vader die zijn zoon terechtwijst, hem duidelijk maakt dat als hij zich zo blijft gedragen, hij de volwassen leeftijd niet zal halen?

De aantekeningen die ik heb gemaakt in de kantlijn plakken ook aan elkaar. Het is alsof de geschreven wonderen waarmee we te maken hebben gehad elkaar op proberen te zoeken.

Ik hoor de anderen reageren op het verhaal van Lilith.

'Dacht je echt dat weglopen zou helpen?' vraagt Danuel.

‘Ik ben nooit weggelopen,’ zegt Lilith.

Ik draai me om op de stretcher en hoor Danuel aan Konraad vragen hoe die erover denkt.

‘Ze heeft het recht om te geloven waar ze in gelooft,’ antwoordt hij.

Even hoor ik niets, behalve de geluiden van het oerwoud. Vogels roepen elkaar schor toe vanuit de bomen, alsof ze heel de dag de goedkope rum van de eilanders hebben gedronken, voordat ze elkaar vanaf de hoogste tak zitten uit te dagen wie de sprong of de vlucht durft te wagen en wie het mooiste vrouwtje durft te versieren.

De biologen zijn stil. Ik probeer het verhaal te plaatsen in Liliths jeugd, waarover ze mij alleen idyllische verhalen heeft verteld: kikkers vangen in de zomer, kevers verzamelen op vakantie en haar tijd op school. Hoeveel van wat ze me heeft verteld is echt gebeurd? Heb ik ook tegen haar gelogen?

Danuel maakt flauwe grappen die bemoedigend zijn voor de sfeer. Weer eens wat anders dan al zijn opmerkingen over waanzin en dood. Als ik af en toe niets te doen heb, vraag ik me af hoe het leven eruit zou zien als de wereld volgens Danuels visie was geschapen. Hoeveel zou er dan anders zijn, en zou het beter zijn dan nu? Waarschijnlijk niet.

Danuel en Konraad zijn in een discussie verwikkeld geraakt. Het begint me op te vallen hoe vaak ze het met elkaar oneens zijn. Olav houdt zich afzijdig, zoals altijd eigenlijk. Ik kan me precies voorstellen hoe hij in zijn jeugd op het schoolplein moet hebben gestaan, in afwachting van de mening van anderen, toen al even onhandig zijn bril schoonmakend. Ik vraag me af of hij de keren dat hij werd gedwongen zijn mening te geven, vaak het goede antwoord gaf, of dat de weinige woorden die zijn mond verlieten duidelijk maakten dat hij niet sprak omdat hij simpelweg niets te zeggen had.

De stem van Konraad; de anderen lachen. Had hij het over mij? Heb ik het goed gehoord en was de toon van zijn stem iets hoger toen mijn naam voorbijkwam? Kijken ze op me neer?

Apen hebben de mogelijkheid elkaar te bedriegen. Het speelt een grote rol in hun sociale gedrag; hoe intelligenter een aap is, hoe groter de kans is dat hij een andere aap misleidt.

Ik zou iets terug willen roepen, maar ik zeg niets. Ik ben een lafaard, zoals mijn vader al zei. Als ik voel hoeveel energie het me kost om op mijn rug te gaan liggen, merk ik pas hoe moe ik ben. Had ik niet eerder in slaap kunnen vallen? Dan had ik die opmerkingen over mij niet hoeven horen.

Al snel droom ik dat ik een verandering heb ondergaan.

Een droomloze slaap is het enige wat ik nu wil

De enige belangrijke vraag van de mensheid betreft de waanzin. Waarom zijn we niet allemaal krankzinnig geworden toen we erachter kwamen wat het betekent om in deze wereld te leven? Wat we moeten doen, waar we niet aan kunnen ontsnappen – het is onmenselijk.

Mijn slaapzak is klam van het zweet, nog meer dan anders.

De droom ging over Lilith, haar handen in mijn broek. We waren geliefden. Ik geneer me. Het voelt alsof iedereen in het kamp mijn droom heeft meegekregen. Hoe kan ik haar straks onder ogen komen? Ik kan de gedachte niet onderdrukken dat ze mijn beelden aan mijn gezicht zal kunnen aflezen. Ik stop mijn handen over mijn oren, leg mijn hoofd onder het kussen en trek de slaapzak over me heen. Dan heb ik eindelijk een soort stilte te pakken. Alleen de geluiden van de jungle dreunen nog door in mijn hoofd. Het is middernacht en het oerwoud slaapt nooit.

Als ik de tent uit kom, is Olav aan het vertellen over

zijn reis door Afrika. Hij raakte er gefascineerd door dieren, maar zag ook de schaduwzijde: de armoede van de mensen, de hongersnood. De achterstand. Even heeft niemand door dat ik bij de groep ben gaan staan. Osu en Yong zijn al naar bed en de biologen zijn druk in gesprek.

Lilith ziet me. Ze wenkt me en neemt me apart. Samen lopen we onder een wolkeloze hemel een stuk van de drie mannen vandaan en gaan zitten in de tent waar ook mijn kleine typemachine staat. Zou de duizendpoot een beter onderkomen hebben gevonden? Ik durf niet te kijken. Dat hoeft ook niet, want Lilith eist al mijn aandacht op. Ze legt een hand op mijn knie.

'Ik maak het je soms moeilijk, Boas, dat spijt me.'

Ik wil me volwassener voordoen dan ik ben, haar verontschuldigingen wegwuiven en vertellen dat ik er geen moment echt mee heb gezeten, maar het lukt niet. Er is iets aan haar ogen wat je dwingt om eerlijk te zijn. Ze zou bij de politie moeten gaan werken, denk ik, iedere crimineel zou haar de waarheid zeggen. Ik probeer me in te houden en haar niet over mijn droom te vertellen. Ik schaam me dat mijn hand, zo dicht bij de hare op mijn been, net nog aan mijn geslacht zat, denkend aan haar. Wat zou Konraad van me denken?

'Heb je mijn verhaal gehoord?' vraagt ze.

Ik knik. Lilith kijkt even naar de grond, en dan met

een schuin oog naar de tafel, waarop de plastic bak staat met daarin de steeloogvlieg. Er is iets veranderd in onze verstandhouding. Ze lijkt toegankelijker en ik bedenk dat ik daar gebruik van moet maken.

Ze kijkt me aan, haar ogen zo groot als die van spookdiertjes. Ik heb niets in te brengen. Ik breek en vertel haar mijn geheim, mijn grootste zonde.

Zie jezelf niet als een groot man, zei mijn moeder. *Dan valt de teleurstelling mee.*

De waanzin zit in iedereen, zoals hij ook in mij zit. Misschien probeerde ik mezelf wel te straffen door mee te gaan op deze expeditie. Had ik echt geen keuze toen mijn vader me opdroeg me klaar te maken voor een maand in de jungle van Zuidoost-Azië? Had ik niets kunnen zeggen, kunnen doen als ik het echt niet had gewild, of vond ik dat ik het aan mezelf verplicht was om te lijden? Misschien vindt ieder mens dat iets vreselijk fout doet zijn eigen boetedoening, nog voor de wet de kans heeft hem te veroordelen en te straffen.

Lilith wacht even. Ze kijkt alsof ze aan iets dierbaars denkt en slaat naar een mug die bij haar gezicht zoemt.

'De wereld werkt niet zoals jij denkt. Bewijs dat je meer bent dan die slechte daad, dat aan het einde van je leven al je goede daden die slechte tenietdoen.'

Ik kus haar. Ik kan me niet beheersen, ik weet dat het fout is en dat ze me zal wegduwen, me zal slaan en haar man zal roepen, maar na haar mijn zonde te hebben verteld, kan ik niet anders dan haar kussen. En Lilith, tegen alle verwachtingen in, kust me terug. Ze beantwoordt de zoen niet zoals een vrouw doet die een man een afgang wil besparen, niet als een moment van zwakte. Ze zoent me, laat haar tong langs mijn lippen glijden en pakt mijn gezicht in haar handen. Ze kust mijn nek, mijn gesloten ogen. Ze pakt mijn handen in de hare en kust ze, voor ze mijn mond weer zoekt. Ze omhelst me, trekt me tegen zich aan en duwt haar lichaam tegen het mijne. Ik voel hoe mijn lijf haar borsten platdrukt, dan trekt ze zich even terug, enkele centimeters slechts, om met gesloten ogen te zuchten. Dan beweegt ze haar hoofd naast het mijne en zucht nogmaals terwijl haar lippen mijn oren raken. Mijn bekken raakt haar bekken. Ik word stijf. Ze pakt mijn heupen en drukt me steviger tegen zich aan, ontspant haar vingers even, vindt dan opnieuw greep op mijn billen en trekt me weer hard naar zich toe. Ze opent haar ogen, en ze likt mijn lippen terwijl we elkaar blijven aankijken. Een trilling gaat door mijn lichaam. De hele tijd zit ik als versteend tegenover haar. Dan bedenkt ze zich opeens en staat op. Ze loopt weg voor ik iets kan zeggen.

Tastend in het donker, vind ik de weg terug naar mijn tent, waar ik me nogmaals aftrek en na te zijn klaargekomen in slaap val. Een droomloze slaap is het enige wat ik nu wil.

Alles is nu anders

Als ik ontwaak hoor ik een hels gekrijs dat mijn trommelvlies doorboort. Geschreeuw. Gestommel. Iemand sterft, schiet er door me heen. Iemand gaat dood. Een seconde na deze gedachte begint mijn brein pas te werken. Het is iemand van onze expeditie. Een van de zeven.

Ik spring uit mijn tent en kijk om me heen. De anderen hebben hun tenten al verlaten en zien er verward uit. Lilith huilt, Olav heeft zijn hand voor zijn mond geslagen. Konraad ontwijkt mijn blik. Waar is Danuel? Waar is Yong? Osu?

Olav ziet me. Hij haalt diep adem en wijst naar waar het geschreeuw vandaan komt. Yong ligt op de grond in een plas bloed. Uit zijn been steken twee stukken bot omhoog, als een heidense waarschuwing van een inheemse stam: ga niet verder, elke stap voorbij deze omhooggestoken botten kan je laatste zijn.

Het is misselijkmakend. Danuel is bezig de wonden op Yongs been te behandelen. Het geschreeuw wordt maar niet minder, Yong gilt alsof hij de duivel heeft aanschouwd.

Ik kijk weg, stop mijn handen voor mijn oren en doe de grootst mogelijke moeite om niet over te geven. Als ik opkijk naar Konraad, knikt deze naar me. Hij neemt me mee. We gaan een stukje verderop staan. Hij heeft zijn handen over elkaar gevouwen, zoals mijn vader vroeger altijd deed. Als hij me aankijkt, schiet de kus met Lilith door mijn hoofd. Weet hij dat ik zijn vrouw heb gekust? Dat er een moment van grote intimiteit tussen ons was, meer dan een simpele vergissing? Zou Lilith het hem hebben verteld? Ik denk dat ze in mij de buurjongen uit haar verhaal herkent. Zullen we met elkaar naar bed gaan deze expeditie?

'Wat is er gebeurd?' vraag ik. 'Wat moet ik doen?'

Ik kijk naar Konraad en zie dat hij begrijpt welke fout hij heeft gemaakt door me mee te nemen. Ik ben nog maar een kind, ik heb geen kennis van geneeskunde of biologie en sterk, snel of handig ben ik al evenmin. Ik zie het in zijn ogen. Hij kan me niet gebruiken. Ik loop alleen maar in de weg.

Hij legt een hand op mijn schouder, zegt me rustig te gaan zitten, omdat ze hier nog wel even bezig zijn. Het klinkt bijna vaderlijk. Ik ga zitten, maar vind geen rust. Als ik mijn ogen sluit, zie ik het been van Yong weer voor me. Zelfs als ik met mijn ogen knipper, zie ik een flits van bloed, verticale botten en een gapende wond. Hoe kan zoiets gebeuren? Niemand valt zo hard, zo vlak bij het kamp.

Een ooglapmot komt op mijn schouder zitten. Zijn

grote zwarte ogen kijken me aan. Ik heb de neiging hem rustig met de rug van mijn wijsvinger te strelen en hem mijn twijfels te bekennen, maar ik houd me in. Als de anderen me met een nachtvlinder zien praten, denken ze vast dat ik krankzinnig geworden ben, en ze hebben nu genoeg aan hun hoofd. De mot stijgt weer op en vliegt richting de lamp in de grote tent, die Konraad heeft aangestoken, zijn ondergang tegemoet.

Een uur later zitten de biologen bij me. Osu is bij Yong gebleven. Danuel spreekt de groep toe.

'Het is een nare wond. Dit gaat niet goed als hij hier blijft. Hij heeft verzorging nodig. We hebben hem wat tegen de pijn gegeven, maar hij moet naar een ziekenhuis.'

'Hoe?' vraagt Lilith.

Danuel slikt even.

'Yong wil dat Osu hem brengt. Alleen met Osu, de jungle door.'

'Dat is onzinnig,' zegt Konraad. 'Dat hele eind? En wij zijn onze gids kwijt.'

'Zo ver zitten we hier niet van de bewoonde wereld,' zegt Danuel. 'Tenminste, als je de weg weet. Osu komt terug.'

'Laat je hem gaan?' vraag ik. 'Hoe weten we dat hij terugkomt?'

'Ik heb geen keus. De wond moet behandeld worden, maar hij weigert iedereen behalve Osu om hem te begeleiden.'

'Hoe wil hij dat dan doen?' vraagt Olav.

'Het zal extreem pijnlijk worden,' zegt Danuel.

Danuel wacht even. We denken allemaal hetzelfde. Er moet iets uitzonderlijks gebeurd zijn. Hij kan zijn eigen been niet zo verwonden. Dit gebeurt niet door een val. Er zijn hier geen dieren groot genoeg om dit aan te richten.

Konraad staat op.

'Hij brengt alles in gevaar. Het is duidelijk wat er gebeurd is. Iemand anders heeft dit gedaan.'

Konraad briest van woede. Hij probeert zich te beheersen. Niemand durft iets te zeggen. Ik kijk naar de biologen. Wie dan?

'Er zijn maar twee mogelijkheden,' zegt Konraad. 'Of het was iemand van buiten, of het is iemand uit de groep geweest.'

'Laten we rustig blijven,' zegt Lilith. 'We weten niet wat er is gebeurd.'

'Dat weten we wel,' zegt Konraad.

Ik kijk naar de anderen. Is een van ons in staat om dit te doen? Is een van ons een mens die iemands been in stukken kan breken uit woede, angst, waanzin? Ik weet dat Konraad het kan. Van de anderen ben ik niet zeker.

Mieren lopen over mijn laarzen. Ze volgen hun stappen terug naar het nest. Zal Osu straks zo zijn weg terugvinden?

Ik tril.

'Rustig, Boas,' zegt Lilith.

Een beetje beschaamd staar ik naar de grond. Iets in haar stem klinkt anders dan afgelopen nacht, alsof ik haar tweelingzus heb gekust en niet Lilith zelf. Zal ik haar aankijken en riskeren dat Konraad of Danuel of Olav iets bijzonders in mijn blik ziet? Het is een risico, maar het is ondraaglijk om het niet te doen. Kijken naar Lilith is op dit moment een primitieve levensbehoefte. Ik red het einde van de nacht niet als ik niet naar haar kijk. Ik besluit te wachten tot de laatste mier mijn voet heeft verlaten. Dan zie ik dat Lilith is weggelopen, waarschijnlijk om naar haar steeloogvlieg te gaan kijken.

O nee, denk ik. Alles is nu anders.

Ik geloof nu wat de eilanders geloven

Danuel helpt Osu een spalk te maken zodat Yong enigszins kan lopen. Lilith is gebiologeerd door haar insect. Hoe kan ze zich op dit moment zo afsluiten van iedereen? Ik zit met Olav en Konraad voor mijn tent. Ze proberen me iets te leren over de gewoonten en gedachten van het volk op de Kinabalu, terwijl we de muggen van ons afslaan. Er zijn er beduidend meer dan gisteren.

'Alles is met elkaar verbonden,' zegt Olav. 'Elk deel van de wereld, elk levend wezen; alles loopt door elkaar. En alles leeft van anderen. We zijn allemaal parasieten. Zeldzame plantensoorten worden gegeten door zeldzame dieren. De Berg bewaakt het evenwicht tussen zijn bewoners. Van uitsterven zal hij het niet laten komen. Het oerwoud is een organisme, het heeft een gevoel en we moeten het respecteren.'

Konraad grimast naast me. Hij laat zijn minachtende blik op Olav vallen.

'Bijgeloof,' zegt Konraad. 'Weet je wat de eilanders geloven?' Hij vertelt een verhaal over hoe het leven als een zaadje in een witte steen is geplant.

Binnenkort, zei mijn vader, *lijken alle religies slechts sprookjes om de moordzucht van de mens goed te praten.*

Ik kijk Konraad aan. Hij veegt de mieren van zijn schoenen en kijkt even of de zwarte vlek op zijn broek modder of een insect is. Modder.

Olav negeert Konraad en gaat verder met zijn verhaal. 'De bomen zaten vast aan de rots en werden door raven stukgepikt, zonder ooit te sterven. Volgens een andere legende werden de bomen door de pikkende raven zo diep de rots in gedrukt, dat ze er één mee werden. Er bestaat een variant waarin God, de bomen en de raven vermoeid werden van het geheel en alles loslieten, de rots alleen achterlatend op aarde.'

Waar is de duivel in dit verhaal? Op de vroege ochtend van deze dertiende dag, opnieuw onder een volstrekt blauwe lucht, begin ik te vermoeden dat ook vier varianten van een legende maar één kant van het verhaal vertellen. De balans is zoek op de Berg, en hij zal naar evenwicht zoeken.

'Ken je nog meer legendes?' vraagt Konraad.

'Die van de God van het Oerwoud ken ik,' zegt Olav. 'Na een aantal expedities ga je dat soort legendes onthouden.'

'Of de kannibalen?' vraag ik.

'Dat is geen legende,' zegt Konraad. 'Die leefden hier echt. Denk niet aan naakte mannen die elkaar helemaal opvreten; slechts kleine gedeelten. Het heeft met eer te maken. Ik heb er tijdens een eerdere expeditie op deze berg een paar ontmoet.'

Ik staar naar Konraad en probeer aan zijn gezicht te zien of hij de waarheid spreekt. Het is onbegonnen werk, Konraads gezicht toont zelden emoties, behalve zijn irritatie over de insecten.

'Het was intens,' zegt hij. 'We moesten vluchten. Ik heb de nek van het stamhoofd omgedraaid. Het klinkt gestoord, maar als het aankomt op overleven, is iedereen tot zoiets in staat. Als er geen bakker is waar je je brood haalt, geen slager die voor je eten zorgt, maar er honderd kannibalen met een verknipte denkwijze voor je staan en jij je vrouw naast je hebt, dan weet ook jij wat je moet doen.'

Ik probeer nog steeds aan Konraads gezichtsuitdrukking te ontdekken of hij bezig is me een sterk verhaal te vertellen of niet. En waar passen de neusapen in deze legendes van de Berg?

'Geloof me, Boas, als het aankomt op overleven, kan iedereen dat.'

Zou Lilith hem mijn geheim hebben verteld? En zo ja, zou hij dat zien als het bewijs dat ik in staat ben een ander te doden? Direct of indirect, maakt dat uit?

'Niet ik,' zeg ik.

Ik hoor geluiden van dieren die ik niet zie. Konraad grijnst.

'Dat zei ik ook.'

Danuel komt aanlopen met een chagrijnig gezicht.

'Osu en Yong zijn klaar om te gaan,' mompelt hij.

We kijken hoe Osu Yong overeind tilt. Samen strompelen ze weg. Osu ondersteunt Yong aan één kant; aan de andere kant heeft Yong een stok. We staren de gidsen na tot we ze niet meer zien en alleen nog het gekreun van Yong horen. Dat mensen in staat zijn te lopen met gebroken benen geloofde ik al toen mijn vader daarover vertelde. Ze waren zo bang, ze voelden nauwelijks pijn. Maar ze daadwerkelijk zien lopen is vervreemdend en walgelijk tegelijk. Mijn maag trekt samen.

Zou Yong zo veel angst hebben dat hij geen pijn voelt?

'Gekkenwerk,' zegt Konraad.

We gaan bij elkaar zitten. Als laatste voegt Lilith zich bij ons. Ze draagt een boek met aantekeningen over de steeloogvlieg bij zich. Een jas beschermt haar armen. Ik heb haar nog niet gevraagd naar de rode vlek, dat moet ik nog doen. Zou ze zoiets geheim kunnen houden?

'We gaan nu niet bespreken hoe het nu verder moet,' zegt Konraad. 'Dat doen we morgen. We zitten nu zonder gidsen. Dat betekent dat we morgen niet op pad kunnen. Het betekent ook dat we hier niet weg kunnen. We hebben Osu's woord dat hij terugkomt, maar alleen zijn woord. Dat is niet anders. Als er iets met iemand gebeurt, kan hij of zij niet weg. Snapt iedereen dat?'

Er wordt geknikt en een voor een lopen we naar onze tenten. Ik zie hoe Danuel met een scheermes naar de grote tent loopt.

In de boomtoppen zie ik de glinstering van de ogen van een spookdiertje, een klein halfaapje waarvan de ogen bijna het hele gezicht bedekken. Nu het donker is, zie ik alleen een glans. Het is stil. Ik voel dat hij zijn lange vingers om de boomtakken heeft gekromd en me aanstaart.

Als ik in mijn tent lig, kan ik niet slapen. Ik ben angstig. De waanzin komt in vlagen. Ik schrijf: *Er zijn mensen die denken dat gekte en gezond zijn twee absolute begrippen zijn en we niet allemaal op een schaal tussen die twee uitersten leven.*

Als de Berg leeft en denkt, een wil heeft en een doel, bezit hij dan ook de gekte die alle mensen in haar greep houdt? Ik geloof nu wat de eilanders geloven.

Sommige mensen zien niets

Danuel en Lea Milton waren gelukkig getrouwd, tot Lea besloot zich op een avond van onbegrensde waanzin te verdrinken in het zwembad van het hotel in Rome waar ze een weekend op vakantie waren. Er was geen drank in het spel geweest, noch werden er sporen van drugs gevonden in haar bloed. Ze moet het leven simpelweg zat zijn geweest, oordeelde de Italiaanse politiechef toen hij Danuel in zo min mogelijk woorden zijn gedachten over de zaak uitlegde.

Danuel bracht het lichaam van zijn vrouw terug naar huis, naar hun dochter, die een weekend uit logeren was geweest. Sterre was elf en blind, vond moeilijk aansluiting bij leeftijdsgenoten en verbaasde haar ouders met de mededeling graag een paar dagen bij haar vriendin door te willen brengen. Sterre had de naam van het meisje nooit eerder genoemd en na wat aanvankelijke twijfels besloten Danuel en Lea van de gelegenheid gebruik te maken en een korte vakantie te boeken.

Tijdens de logeerpartij had Sterre een nachtmerrie waarin haar moeder verdronk en had ze wanhopig geprobeerd contact te zoeken met haar vader, die toen nog tien meter boven het zwembad in zijn bed de slaap van koningen sliep.

Het rouwproces was hevig geweest. De nachten waren lang, telkens opnieuw had Sterre naar requiems geluisterd van alle componisten die ze op internet kon vinden.

Een jaar later, de avond voor Danuel naar Borneo zou vertrekken, had Sterre eenzelfde soort voorspellende nachtmerrie. Schreeuwend werd ze wakker en wenkte haar vader, die in de deuropening van haar slaapkamer stond. Hij ging op de rand van haar bed zitten.

'Ik wil niet dat je gaat.' (Sterre)

'Hebben we het hier niet over gehad?' en 'Waar ben je bang voor?' (Danuel)

'Alles.' en 'Ik heb iets gezien in mijn droom.' (Sterre)

'Doe rustig. Vertel me wat je zag.' (Danuel)

Sterre had gezucht en haar nachtmerrie aan haar vader verteld. Danuel had gegeeuwd, had Sterre gerustgesteld en was terug naar bed gegaan. Hij sliep verder tot hij 's ochtends werd gewekt door zijn chagrijnige dochter met de woorden: 'Sommige mensen zien niets.'

Alleen waanzin brengt orde in de chaos

Mensen zijn verloren. We zijn als biologen in de jungle, geven alles om ons heen een naam, een reden en een verklaring. Een einde en een begin. Maar wat we niet begrijpen, is dat de jungle leeft, ademt en transpireert. De wereld voelt ons over zich heen kruipen en siddert. Elke stap die je zet is de aarde er één te veel. Kon de grond maar openbarsten en ons opslokken, zoals dat in drijfzand kan gebeuren. Begrepen we maar dat de wereld om ons heen al zo lang geleden waanzinnig is geworden dat er nu nergens plaats voor is, behalve voor anarchie en nihilisme. God, help ons. Er bestaat een God van dit Oerwoud en Hij moet ons helpen. Is dat de Berg? Praat Hij met Wilson of de kannibalen? En weten zij van elkaars bestaan?

De schreeuw van Yong is nog steeds aanwezig in een verre echo. Als je stilstaat en luistert naar de geluiden van de jungle, kun je hem herkennen tussen het getjilp van vogels en het geritsel van zoogdieren. Er is een ramp gebeurd. We zitten nu zonder gidsen in een groot onbewoond gebied en de jungle lijkt zich om ons heen te sluiten.

Er is een vogel in mijn hoofd begonnen te praten, en hij houdt niet meer op. Hij heet Raaf en volgt me overal. Hij is mijn enige vriend. Zijn vleugels slaan om me heen.

'Laat ze niet op je neerkijken,' zegt Raaf. In gedachten bedank ik hem.

'Vertel me over de voortekenen,' zeg ik.

'Er is een waanzin die niet slaapt,' zegt hij, 'een gekte die in vlagen toeslaat. Dat is hoe mensen afdalen in de neerwaartse spiraal van krankzinnigheid. Eerst lijk je normaal, op enkele uitspraken na. Dan word je inconsistent, je spreekt jezelf tegen. Voor je het weet praat je met jezelf, houd je gesprekken die niet op elkaar aansluiten. Dan begin je de gekte te zien maar te ontkennen. De acceptatie volgt en tot slot het vergeten. Als je vergeten bent dat je gek bent, heb je de bodem bereikt. Het is een afgrond waaruit niemand terugkeert.'

Ik probeer er niet aan te denken en haal me het beeld van Lilith voor de geest, de manier waarop ze me tegen zich aan drukte.

'Laat haar,' zegt Raaf. 'In het grote geheel der dingen is ze minder belangrijk dan je denkt.'

Het grote geheel der dingen, het klinkt als meer dan waarmee ik bezig wil zijn. Ik kijk om me heen. Is er een uitweg?

‘Vluchten heeft geen zin,’ zegt Raaf. ‘Je moet niet weg willen rennen; je moet standvastig zijn en tegen de Berg vechten.’

Ik denk na. We zijn nog maar met zijn vijven.

‘Ken je het verhaal van de raven en de bomen, van het begin van alles zoals ze dat hier geloven?’ vraag ik hem.

‘Alles wat ik weet,’ zegt hij, ‘is dat dingen die verbonden lijken vaak gescheiden zijn en dat dingen die gescheiden zijn vaak verbonden lijken.’

Er is een beklemmend gevoel dat me langzaam vult zoals water een fles. Af en toe schokt het, dan voel ik elektrische prikkels door mijn lijf gieren. Om me heen heerst verwarring.

‘Geen zorgen,’ zegt Raaf, ‘en onthoud: alleen waanzin brengt orde in de chaos.’

De apen komen dichterbij

Het kamp is veranderd in een zwijnenstal en de insecten en vogels proberen de warboel te inspecteren op eten. Elke hoek, elke tent, alles draagt de gebeurtenissen van de afgelopen nacht in zich. De spanning is voelbaar. Mijn gedachten dwalen af naar de groep neusapen met hun vreemde leider, Wilson. Ze moeten zich kilometers verderop bevinden, en tegelijkertijd zijn ze erg dichtbij. Zijn zij het instrument van de Berg om het evenwicht te herstellen? Zijn wij dat? Ik ben in mijn gedachten bij hen, zoals ook de anderen dat lijken te zijn.

Het is slechts de ratio die ons op de been houdt. Als Osu zijn belofte niet houdt en besluit niet terug te komen, is de kans groot dat we zelf de weg terug moeten zoeken. We zijn overgeleverd aan de goede wil van een eilander die we pas twee weken kennen. Als Osu de bewoonde wereld aantrekkelijker vindt dan deze vervreemdende jungle, als hij thuis problemen ziet bij zijn familie... Het is om gek van te worden. Ik probeer een betere oplossing te bedenken dan die waar

Konraad vannacht mee kwam, hoe zinloos dat nu, uren later, ook is. Waarom vertelde Yong niet hoe hij aan zijn gebroken been kwam?

Lilith bestudeert de steeloogvlieg. Ik ga naar haar toe. Ik weet niet of ze het over de kus wil hebben, maar ik heb het gevoel dat ik er wel over moet praten. En de enige persoon met wie dat kan, is Lilith zelf. Ze heeft een bril opgezet, ze heeft een onweerstaanbare uitstraling. Ik voel mezelf stijf worden als ik haar nader.

Ze merkt me niet op, ze kijkt volkomen geobsedeerd naar de plastic bak met daarin de Heer van de Vliegen.

'Is het nog altijd fascinerend?' vraag ik.

Ze kijkt op, geïrriteerd. Had ik niet met deze loze opmerking moeten beginnen? Had ik direct de kus moeten noemen, en haar moeten vertellen dat die me in de war heeft gebracht, nog meer dan ik al was? Misschien dacht Lilith wel dat de kus me een richting zou kunnen geven, alsof ik op het moment van uiterste passie opeens zou weten wat ik zou willen in het leven. Ze zegt niets, kijkt me alleen aan en wendt zich dan weer tot de plastic bak.

'Heb je al een naam bedacht?'

Ze kijkt me vragend aan.

'Dit is toch veel te groot om door iemand als ik benoemd te worden?'

'Groter dan Wilson?'

Ze knikt. 'Groter dan alles.'

Ik staar naar de plastic bak.

Lilith verduidelijkt zichzelf: 'Ik denk dat je het niet goed begrijpt, Boas. Kijk nu eens goed.'

Ik buig voorover en zie dat de steeloogvlieg ongeduldig beweegt. De Heer van de Vliegen is groot voor zijn soort. De stelen waar zijn ogen op rusten wijzen naar links en rechts, en zijn langer dan de rest van zijn lichaam. Zijn vleugels zijn doorzichtig.

Opeens zie ik het, de steeloogvlieg is van vorm veranderd. Iets groter is hij nu, en de kromming in zijn poten is afgenomen. Zijn vleugels lijken nog dunner dan gisteren; iets in het insect is in beweging.

'Dat is vreemd,' zegt Raaf. 'Maar niet wat nu belangrijk is. Vraag haar eens naar de kannibalen.'

'Heb je hem andere steeloogvliegen te eten gegeven?'

Lilith kijkt me verbaasd aan. 'Waarom zou ik dat doen?'

'Geen idee,' zeg ik.

'Ga maar even kijken waar Danuel blijft.'

Pas dan realiseer ik me dat ik Danuel nog niet heb gezien, dat er iemand ontbrak. Ik loop naar zijn tent, die wordt overwoekerd door insecten. Daar tref ik hem aan, liggend op zijn stretcher en zwaar ademend. De tent is chaotisch. Overal liggen boeken, kleren, een rugzak en aantekeningenboekjes. Danuel hoest. Hij ziet bleek. Op zijn kin zit braaksel.

'Konraad!' roep ik.

Konraad komt aangelopen en ziet Danuel. Hij schrikt even en stapt dan langs me heen de tent in. Ik heb genoeg gezien en volg hem niet.

'Hij heeft zich geschoren,' zegt Raaf. 'Daarom ziet hij er bleek uit. Hoe witter de huid, hoe gekker de geest.'

Ik luister niet, want ik voel mijn hart steeds sneller slaan, eerst in mijn borst en daarna ook in mijn hoofd. Een kloppende hoofdpijn sluit me af voor de gebeurtenissen om me heen. Danuel is ziek. Naast Yong is hij de enige met medische kennis. We zitten nu niet alleen zonder gids, we zitten ook zonder iemand die ons medicijnen kan geven als we ziek zijn. Zonder iemand die weet welke symptomen ernstig zijn en welke niet. Wie kan zeggen wat er wel en niet onderzocht moet worden? Ik denk aan een van Konraads verhalen, over een aapmens met gloeiende ogen die je 's nachts bezoekt om je ziektes te brengen. Het angstzweet breekt me uit en zweet trekt insecten aan. Een kever landt op mijn shirt en vouwt zijn vleugels op onder zijn glanzende schild. Het is een neushoornkever. Hij begint aan de lange beklimming van mijn torso. Als ik nu ziek word, is er niemand die me kan helpen. Als ik ziek word, in deze hitte, in dit oerwoud waar vreemde dingen gebeuren, ga ik dood. Ik voel me duizelig worden. Mijn ademhaling versnelt. Ik begin te hyperventileren. Olav ziet het gebeuren en pakt een stoel. Met een hand op mijn schouder zet hij me erop, voor ik de kans krijg om flauw te vallen.

'Het is goed,' zegt hij.

Nee, het is niet goed. Ik schud met mijn hoofd en veeg de neushoornkever van mijn schouder. Bladsprietkevers kruipen over mijn schoenen, zoeken hun weg naar binnen.

Olav knipt met zijn vingers voor mijn ogen. Vanuit de jungle klinkt de lokroep van een vogel die ik niet kan thuisbrengen.

'Danuel heeft een griepje. Die voelt zich morgen weer beter.' Hij haalt zijn hand door zijn warrige haar en probeert te glimlachen. Het lukt nauwelijks.

Ik staar naar de grond, maak van mijn handen een kom en probeer daarin te ademen. Ik probeer me op een punt te fixeren om mijn lichaam weer rustig te krijgen.

'Nee,' zegt Raaf diep in me. 'Je hebt gezien hoe Danuel erbij lag. Die is morgen echt niet beter.'

Ik negeer Raaf en focus op Olav. Hij blijft naast me staan tot ik langzaamaan rustiger begin te ademen. Ik voel de warmte van zijn hand op mijn schouder, en ook al is het ontzettend heet, de warmte van zijn aanraking voelt prettig aan.

Paniek, zei mijn vader, *is een manier van de natuur om te vertellen dat het fout zit.*

Een paar minuten zeggen we niets. Vanuit de bomen laten spinnen zich naar beneden zakken, ervan overtuigd dat we voedsel zijn.

'Dit soort dingen gebeurt altijd,' zegt Olav dan. Hij kucht even. Heeft hij het goed gedaan? Ben ik gerustgesteld?

Ik knik.

Hij gaat verder: 'Op expedities gaat er altijd van alles fout. Het is improviseren, je moet je tot het einde toe concentreren. Dan loopt het goed af. Ook nu.'

'Nee,' zegt Raaf. 'Niet nu.'

Ik vorm mijn lippen tot een glimlach om Olav niet ongerust te maken. Ik vertel hem niet hoe ik me voel, wat ik vreemd vind aan Wilson en de Heer van de Vliegen, wat ik beangstigend vind aan de wond van Yong en de ziekte van Danuel. Dan komt er een nieuwe gedachte bij me op: misschien ben ik wel alleen tussen deze mensen. Misschien zijn zij degenen waarvoor ik bang moet zijn, met al hun ervaringen, met hun wens van een perfect verlopende expeditie. Als er iets fout gaat, zijn ze dan in staat dat in te zien? Misschien moet ik het ze zeggen. Ik denk aan mijn moeder, die altijd zei dat ik als het misging naar anderen moest luisteren. Zelf wist ik nooit wat ik moest doen, volgens haar.

Konraad komt de tent van Danuel uit. Hij komt bij mij en Olav staan en roept Lilith. Dan spreekt hij ons toe.

'Danuel is ziek. We zijn praktisch gezien nu met vier man. Dat klinkt erg, maar dat is het niet. Osu komt waarschijnlijk over twee dagen terug. Dan is er iemand om voor Danuel te zorgen. Ik denk dat hij gewoon een griepje heeft, maar ik weet het niet zeker. We kunnen niets doen behalve wachten, de tijd uitzitten tot Osu terugkomt.'

Ik vraag naar de gebeurtenissen van afgelopen nacht.

'Daar zullen we het op z'n tijd over hebben,' zegt Konraad. 'Nu moeten er dingen gebeuren. Yong heeft zijn been gebroken. We weten niet hoe dat gebeurd is. Hij kan gevallen zijn. Iemand kan hem iets hebben aangedaan.'

Het duizelt in mijn hoofd. Ik zoek naar de blikken van Olav en Lilith, maar ze ontwijken me. Konraad kijkt me aan.

'Luister,' zegt Konraad. 'Je bent bang. Je was waarschijnlijk het liefst teruggegaan met Osu en Yong. Maar je bent geen dokter.'

'Ik wilde jullie ook niet achterlaten,' zeg ik.

'We zijn allemaal wat geïrriteerd door de manier waarop de expeditie verloopt. Maar blijf je focussen. Je hebt het gevoel dat het helemaal misgaat. Dat gevoel moet je loslaten, het maakt je minder geconcentreerd en dan wordt het gevaarlijk. Denk aan de slangenbeet. Het gaat nu zoals het gaat. Mensen raken gewond, mensen worden ziek. Dat is klote, maar zo is het nu. Overmorgen komt Osu terug en dan maken we een nieuw plan.'

'Wat als hij niet terugkomt?' zeg ik.

'Hij komt terug,' zegt Konraad.

Uit de jungle klinkt de brul van een neusaap. De lucht lijkt te trillen.

'De apen komen dichterbij,' zegt Raaf.

Konraad glimlacht even en loopt weg. Ben ik dan gek dat ik er zo aan twijfel? Moeten we bang zijn voor apen? De Berg beschermt al zijn inwoners. Laat hij ons verdwalen in de eindeloze jungle?

Plotseling wordt het stiller. Ik weet niet of de anderen het ook horen, maar enkele tellen lijkt het oerwoud al zijn geluid in te houden. De neusapen zwijgen, de vogels stoppen met fluiten. Insecten houden hun poten stil. Het lijkt of de Berg zijn dieren tot kalmte maant, omdat hij wil horen wat wij aan het doen zijn. Het lijkt of de Berg zijn adem even inhoudt. Langzaam komen de geluiden weer op gang en gaat het lawaai van het oerwoud onverstoord verder. Ik kijk de leegte van de jungle in. Er beweegt iets zonder te bewegen. Raaf heeft gelijk. De apen komen dichterbij.

De jungle antwoordt

Twee weken geleden zat ik nog in het vliegtuig vanuit Amsterdam, elf dagen was de sfeer van de expeditie opgetogen, tot hij vannacht omsloeg.

Samen met Lilith bereid ik het ontbijt voor. Eten bereiden betekent iets opwarmen boven een gasvuurtje. Het duurt altijd te lang en het resultaat van de inspanning is altijd teleurstellend. Het went niet. Het enige voordeel is dat het gasvuur vaak de insecten wegjaagt, maar ook dat lijkt vandaag niet het geval.

De maaltijden hier zijn niet te eten. Afgezien van de insecten die door je rijst heen lopen, zit er nauwelijks smaak aan de groenten uit blik. De soep die er af en toe wordt gemaakt is weinig meer dan gekookt water. Welk ander ingrediënt er ook in wordt gegooid, welke kruiden worden gebruikt – ik proef ze niet. In gedachten maak ik de volgende aantekening: *Er zijn mensen voor wie eten een noodzaak is, een simpele handeling die niets met genot te maken heeft.*

Lilith en ik praten niet terwijl ik haar help het gasvuur aan te steken. Even denk ik dat het moment tussen ons slechts een droom was, een hallucinatie. Of misschien beschouwt Lilith de kus als een vergissing die stilgezwegen moet worden voordat het een kapitale fout wordt die een einde maakt aan haar huwelijk. Tien minuten zwijgen we. Dan verbreekt ze de stilte: 'Toen ik Konraad ontmoette vond ik hem maar vervelend.'

'Waarom?'

'Hij had overal systemen voor. Hij deelde de wereld en alles daarbinnen in en weigerde van die vaste indeling af te wijken. In de biologie is het normaal om alles in geslachten, soorten en families in te delen, maar Konraad deed dit met alle aspecten van zijn leven. Er was een tijd voor tandenpoetsen, er was een tijd om naar de radio te luisteren, alles in zijn leven bestond uit blokjes tijd, die niet overschreden mochten worden, noch mochten ze worden afgebroken voordat ze vol waren. Een uur was een uur, als een ijzeren wet.'

Konraad is achter me komen staan.

'Het is de orde van alle dingen,' legt hij uit, 'die ons behoedt voor de waanzin. Ik bedacht ordeningssystemen voor alle levende zaken in de wereld.'

Olav voegt zich bij ons.

'Delen we onze eerste ontmoetingen met elkaar?' vraagt hij. 'Ik ontmoette mijn vrouw in een museum in Madrid. We waren op slag verliefd. Zo simpel kan het zijn. Ze verwacht ons eerste kind. Een zoon.' Hij probeert trots te kijken, maar ik zie een blik die duidelijk geoefend is voor een spiegel, in talloze pogingen om de juiste uitdrukking bij dit verhaal te krijgen.

Waarom zie ik kinderen soms als een bedreiging? Ben ik bang dat ze mijn plaats innemen?

'Een opvolger dus,' zegt Konraad.

'Een god,' fluistert Raaf. 'Hij denkt dat zijn zoon een god is.'

'Nee,' zegt Olav. 'Zo zou ik Emre niet willen noemen.'

Ik denk aan mijn moeder, die altijd zei dat meer familie alleen maar voor meer begrafenissen zorgde. Ik negeer de gedachte en zie iedereen naar me kijken. Ze wachten op een bijdrage aan het gesprek, maar ik heb niets te zeggen. Ik ben alleen.

Het wordt stil in de groep. Geluiden uit het oerwoud overheersen.

'Kan het zo zijn,' zeg ik, 'dat je iets vindt wat volgens alle ordeningssystemen een vorm van leven is, maar volgens je gezonde verstand niet?'

Niemand antwoordt. Ik zeg wat we allemaal denken: 'De kans om iets compleet nieuws te vinden is heel erg klein. Alles wat we vinden, wat we nu nog ontdekken zijn variaties op bestaande soorten. Als je doorredeneert, behoort het nieuwe dier tot een orde, een familie, een geslacht. Iets vinden wat niet een variatie is van het een of het ander, een oerwezen, is denk ik onmogelijk.'

Is er een oerwezen of een god voor de mensen die

stamhoofden doden? Ik denk aan het insect van Lilith. Ze durft niet te laten merken dat haar interesse in het dier een fascinatie is geworden, al heeft iedereen het door. Hoe ze erover praat. Hoe ze ernaar kijkt. Al anderhalve dag lijkt ze met niets anders bezig dan met dit kleine insect.

Door het gekras van vogels heen horen we Danuel kreunen in zijn tent. Op het tentdoek zijn steeds meer insecten gekropen. Konraad loopt erheen. Even later horen we zijn kalmerende stem.

Ik blijf nadenken over wat er is gebeurd. Ik heb het gevoel dat als ik mijn gedachten over de gebeurtenissen van gisteren kan uitschrijven, ik de oplossing heb. Maar voor ik mijn notitieboekje heb gepakt en de mieren eraf heb geveegd, heb ik de oplossing al. Het is de aap. Wilson heeft Yong verwond. Hij is ons gevolgd. Hij keek naar Yong toen we de neusapen bestudeerden en hij is ons gevolgd naar het kamp. Daarom zeiden Osu en Yong niets; ze wilden hier zo snel mogelijk vandaan. Dat betekent dat Osu niet van plan is om terug te komen. De Berg neemt af en toe een leven, soms meerdere. Het is de prijs die de eilanders betalen. Praten ze met de Berg? Kunnen ze hem horen als hij spreekt? En houdt Wilson ons nog steeds in de gaten?

'Driemaal ja,' zegt Raaf. 'Er stromen verbindingen op de Berg als rivieren naar zeeën stromen.'

Lilith bestudeert de steeloogvlieg. Verder is het stil.

Alleen het ademen van de jungle is hoorbaar, het aanzwellende en afzwakkende geluid van insecten die eten, waarschuwen en paren. Kevers en mieren tekenen patronen op de grond tussen onze tenten. Zijn het patronen die we kunnen lezen, kunnen herkennen? Een wandelend blad proeft mijn zweet tot de rits van mijn tent.

Voor de ziekte van Danuel heb ik ook een verklaring: hij moet gestoken zijn door een insect. En niet door zomaar een rondvliegend beest dat hem 's nachts te pakken heeft gekregen. Het moet de steeloogvlieg van Lilith zijn. De Heer van de Vliegen. Hij zit opgesloten in een plastic bak, dus als het beest Danuel heeft gestoken, moet het zijn ontsnapt. Of vrijgelaten? Heeft Lilith eerst zichzelf laten steken en vervolgens Danuel? Is ze bezig een testgroep van ons te maken?

Ik loop naar Konraad, die bij Danuels tent staat.

'Heb je er al aan gedacht dat Danuel door een insect gestoken kan zijn?'

'Het kan,' zegt Konraad kalm. 'Maar er kan zoveel aan de hand zijn. We moeten wachten tot Osu terug is.'

Moedeloos loop ik weg en wend me tot Olav, die voor zijn tent op een stoel zit. Er kruipt een rups in zijn haar, waarvan hij niets lijkt te merken. Met een grijns kijkt hij me aan.

'Hoe is het?' vraag ik.

Olav wijst op de stoel naast hem. Ik ga zitten.

‘Lukt het met je schrijven?’ vraagt hij.

‘Ik wacht op inspiratie,’ zeg ik. ‘Een vonk kan de aanleiding zijn van iets groots.’

‘Net als in de biologie,’ zegt Olav. Hij krabt wat aan zijn baard, dan aan de haren op zijn hoofd. Of het nu zweet is of kleine insecten zijn, je hebt altijd jeuk in de jungle.

‘Denk je dat we er hier getuige van zijn, de aanzet tot iets groots?’

‘Het is overweldigend,’ zegt Olav. ‘Dat snap ik. Maar geloof me, ik heb heel wat expedities gedaan, en het voelt altijd zo.’ Hij hoest even, haalt zijn neus op en kijkt dan naar de boomtoppen.

De rups in zijn haar is bezig naar Olavs oor te kruipen. Ik weet niet of ik er iets van moet zeggen. Zou het dier naar binnen kruipen als het de kans kreeg? Het beestje is er klein genoeg voor. En dan? Olav zou krijsen alsof hij gemarteld werd, over de grond rollen en we zouden hem niet kunnen helpen. Toch zeg ik niets.

In het oerwoud brult een neusaap. Is het Wilson? Het geluid lijkt van dichterbij te komen dan gisteren. Konraad en Lilith komen naar ons toe. Ik zie een fonkeling in Konraads ogen. Lilith lijkt boos.

‘Konraad wil naar de apen toe,’ zegt ze.

Ik houd mijn adem even in. Ik weet dat het waar is. Leiders die regels verzinnen zijn de eersten om ze overboord te gooien.

'Weet je de weg?' vraagt Olav.

Konraad kijkt dwars door hem heen, alsof hij van glas is gemaakt. 'Absoluut,' zegt hij. Zijn halfdichte ogen verraden een megalomaan denken dat niet op rationaliteit is gestoeld.

'Als je de weg niet weet, als je verdwaalt?' vraag ik Konraad, terwijl ik Lilith blijf aankijken.

'Dat gebeurt niet,' zegt Konraad. 'Maar iemand moet achterblijven om op Danuel te letten. Blijf je, Boas?'

'Hoe gaat het met Danuel?' vraag ik.

'Niet beter, niet slechter.'

Konraad veegt wat torren van zijn schouder en tikt Lilith aan.

'Als jij achterblijft, kun je verder met het onderzoek naar je insect.'

Lilith kijkt achterdochtig naar haar man, die grijnst. Ze zegt dat ze blijft.

Olav zegt dat hij meegaat. Hij wil het resoluut laten klinken, maar ik hoor de aarzeling in zijn stem.

'De keuze is aan jou,' zegt Konraad dan tegen me. 'Wil je hier blijven of ga je mee naar Wilson?'

Ik denk aan de ziekte van Danuel en wend me tot Olav. Die schudt zijn hoofd. Het maakt hem niet uit. Hij heeft voor één keer zijn gezin uit zijn hoofd gezet; hij denkt aan de biologie, hij denkt aan ontdekkingen waarvoor alles moet wijken. Ik zucht. Ik denk aan iets wat Konraad aan het begin van de expeditie heeft gezegd: fascinatie is goed voor biologen.

Of Konraad echt de weg weet vraag ik me af, maar daar kan ik hem niet bij helpen. Ik kijk naar Lilith. Zweetdruppels lopen over haar gezicht. Is dat alleen de vochtigheid?

'Ga mee,' fluistert Raaf. 'Er is daar iets wat je moet zien.'

Eigenlijk wil ik bij Lilith blijven, maar Raaf is standvastig. Ik moet hem vertrouwen. Bovendien heb ik minder kans om door haar insect gestoken te worden als ik me ver van het kamp bevind.

'Ik ga mee,' zeg ik.

Ik loop naar mijn tent om spullen te pakken voor onderweg. De brul van de neusaap dreunt nog na in mijn hoofd.

In de tent pak ik de spullen voor de trip naar Wilson en ik verlies mezelf in mijn favoriete fantasie, die over Julie. Ik sluit mijn ogen.

Veertien was ik en Julie hing de was op. Ze was negenentwintig. De vrouwen die we het mooist vinden zijn seksueel in al hun handelingen. Ik keek hoe Julie de vouwen uit onze broeken haalde en ik wenste zelf die broeken te zijn. Ze maakte soep en in gedachten stond ik achter haar, bewoog tegen haar billen aan. Ze had al haar concentratie nodig om geen soep te morsen en om goed te luisteren of mijn ouders niet thuiskwamen en ons betrapten. Ik kuste haar nek, streelde haar wang en nam haar oorlel in mijn mond om er voorzichtig in te bijten.

Zo begon het, met een onschuldige fantasie.

Ik merk dat ik de fantasie af en toe aandik, mezelf meer romantiek toeschrijf dan ik in werkelijkheid bezit.

Ik weet wat echt is en wat niet. Julie is een fantasie, evenals de kannibalen van Konraad. De jungle is echt, de wonden van Yong en de ziekte van Danuel zijn echt. Ik hoor stemmen, die zijn ook echt. Ze herhalen slechts wat mijn vader en moeder eerder hebben gezegd.

Als ik in mijn tent naar het tentdoek kijk, zie ik dat ook bij mij meer insecten zitten dan op eerdere dagen.

Een aantal keer haal ik diep adem voordat ik naar Olav en Konraad loop. Ik ben niet gek, herhaal ik eerst nog een aantal keer. Ik ben niet gek.

Ik schrijf in mijn notitieblok: *Er zijn mensen die denken dat gevaar opzoeken een manier van overleven is. Ze zijn verslaafd en sterven als junkies aan een overdosis.*

Raaf krijst.

Dan klinkt er gerommel in het oerwoud. Neusapen brullen, vogels krassen, vleermuizen slaan met hun vleugels en sprinkhanen spelen viool met hun achterpoten. De jungle antwoordt.

Alleen Raaf denkt nog helder

Weinig mensen zijn zo rustig als biologen. Het hele vak bestaat uit het observeren van dieren of planten, het verzamelen van data en het analyseren van die data, om nog maar te zwijgen van het lezen van alle onderzoeken die er al zijn geweest. Met elk jaar dat verstrijkt wordt de stapel groter; er zal een generatie komen die na het lezen van alle baanbrekende verslagen van expedities te oud is om zelf nog iets te ondernemen. En alsof dat nog niet erg genoeg is, worden in een groot gedeelte van de wereld nog altijd de angstaanjagende woorden geuit: 'Alles is toch al ontdekt?'

Nadat we ons hebben voorbereid, lopen Konraad, Olav en ik aan het einde van de wolkeloze ochtend het oerwoud in. Het zweet loopt al snel langs mijn baard. Ik blijf me krabben, af en toe kleven er insecten aan mijn vingers, en aan hun resten kleven de volgende.

'Kun je me niet alles uitleggen?' vraag ik Raaf.

Hij denkt even na. 'Zo werkt het niet, Boas. Ik vrees dat je het niet zou begrijpen. Daarnaast zou het niets veranderen aan de uitkomst.'

Na een kleine twee kilometer vindt Olav bijzondere orchideeën. De bloemen ruiken alsof hier dieren afgeslacht zijn en nu al weken liggen te rotten, maar de geur lijkt Olav niet te hinderen. Op handen en voeten kruipt hij rond. Hij vindt een slanke plant met haast doorzichtig smalle, witte bloembladeren. Het lijkt of de plant een huid heeft.

'*Pholidota,*' zegt Olav, die er even breekbaar uitziet als de bloem. Zou hij dat beseffen? Hij begint aan zijn ritueel met zijn bril en zijn opschrijfboekje, waar twee vliegen op landen.

Ik kijk naar de bloem, zo teder. Als er een bloem is in de jungle die de Berg gebruikt om te voelen of er beweging is die hier niet hoort, zou hij het via de Pholidota doen, denk ik.

Als Olav opstaat, veegt hij de kevers en mieren van zijn broek en shirt. Konraad loopt naar hem toe en plukt twee schorpioenen van zijn rug. Je moet elkaar beschermen op dit soort expedities, anders nemen de beesten uit de jungle je te grazen.

Als we verder lopen, voel ik ogen op me gericht. Konraad baant zich met moeite een weg door de jungle. Olav stopt om de paar meter om naar planten of bloemen te kijken. Maar het gaat langs me heen. Ik voel alleen de ogen. Zijn ze van Wilson? Of van iets of iemand anders? Als Wilson en het insect de fonkeling in hun ogen hebben, kunnen nog meer dieren het hebben. Dan komen we hier nooit meer weg.

Konraad staat plotseling stil. Ik bots tegen hem op. Hij kijkt om zich heen.

'Waar is Olav?' vraagt hij.

Ik kijk om me heen. Hij is nergens te bekennen. Ik was zo in gedachten verzonken dat ik niet heb opgelet.

Een rups laat zich aan zijde uit de apenbomen zakken.

'Godverdomme,' zegt Konraad.

Zou hij een plant hebben gezien en hebben gewacht zonder ons iets te zeggen? Zijn we blind doorgelopen zonder aandacht voor hem te hebben?

Voor me heeft een steeloogvlieg een bloem gevonden. Hij drinkt de achtergebleven druppels dauw van de bloembladeren. Nu begrijp ik wat Danuel bedoelde toen hij zei dat de Berg beeldschoon is. Als deze plek echt zo kwaadaardig met ons omging, de hel op aarde was, zou hij dan deze schoonheid bevatten? Kan de hel een mooie plek zijn?

Konraad en ik overleggen of we naar hem op zoek moeten gaan. Ik wil wel, maar Konraad niet. We besluiten te wachten en te hopen dat Olav het spoor naar ons weet te vinden.

Tien minuten gaan voorbij. Twintig minuten gaan voorbij. Als Olav niet meer terugkomt, hoelang blijven we dan hier midden in het oerwoud zitten?

Ik staar naar de boomtoppen, het zonlicht dat tussen de bladeren van de apenbomen door de grond bereikt. Op een stam jaagt een gekko op larven terwijl vliegen zich op de grond aan het laatste vlees van een dode gekko te goed doen.

Konraad is stil, beweegt niet en kijkt strak voor zich uit. Iets heeft zijn aandacht getrokken. Minutenlang blijft hij zitten zonder te bewegen.

Mijn gedachten dwalen af naar Lilith, haar tong in mijn mond. Hoe ik het zweet van haar wangen proefde, de smaak van haar lippen, de manier waarop ze haar bekken tegen het mijne drukte.

Op dat moment flitst er iets voorbij. Een dier? Het klonk behoorlijk groot en de meeste zoogdieren laten zich niet zien op dit tijdstip van de dag. Ik kijk naar Konraad. Die heeft het ook gezien. Hier in het lage regenwoud worden we omgeven door apenbomen die als reuzen boven ons en alles uittorenen.

'Hij is dichtbij,' fluistert Konraad.

Ik voel de ogen weer. Ik hoor het oerwoud bewegen. Het is windstil, maar de bladeren ritselen. Boomstammen kraken. Vogels vliegen weg. Het oerwoud wordt onrustig. Konraad doet een stap vooruit. Ik ga achter hem staan.

Geen geluid, gebaart Konraad naar me. Niet bewegen.

Lang blijven we zo staan. Het lawaai neemt af. Het ritselen stopt. Dan zien we Olav aan komen lopen. Hij kijkt overdreven blij.

'Eindelijk,' zegt hij.

Het oerwoud reageert. Vanuit elke hoek klinkt een oorverdovend lawaai van primaten, vogels, insecten en het breken van takken. We kijken om ons heen. De groep neusapen arriveert in een kakofonie. De jungle schudt op zijn grondvesten. Dan, als een ingehouden adem, komt er een rust over de plek. Er beweegt iets zonder te bewegen in de jungle. Tientallen neusapen kijken ons vanuit de bomen aan. En dan verschijnt hij. De reden van onze komst. Wilson. Niet agressief, maar wel met uiterlijk vertoon van kracht. Hij is het die het oerwoud beweegt.

Ik staar hem aan. Wilson kijkt terug. Een fonkeling wordt overgebracht. Hij lijkt zonder woorden met me te willen praten. Wat wil hij me vertellen? Hij brult. De andere neusapen antwoorden.

Dit is waarover ik moet schrijven, denk ik. Geen aantekeningen over het groepsgedrag van Apen van de Oude Wereld, maar de ontdekking van een mythisch wezen. Over een man die beseft wat voor invloed dit op de wereld zal hebben.

Konraad niest. De apen brullen. Vogels schrikken, krassen, vliegen op.

Ik kijk hem aan. Het is niets, gebaart Konraad. Is dat zo? Alles lijkt om me heen te gebeuren. Ik lijk midden in een rad te staan dat almaar ronddraait. Ik denk dat het uitzicht nooit verandert, maar dat doet het wel. Het is alleen altijd een stukje van het rad. Om echt een totaal nieuw beeld te krijgen, moet je van het midden wegstappen. Al die dingen waar ik me zorgen om maak, de apen en het insect, de dingen die gebeuren, zie ik alleen omdat ik midden in het rad sta. Konraad en Olav maken aantekeningen.

'Zie hoe belangrijk spel voor ze is,' zegt Konraad. 'En hoe de meeste neusapen in hun eentje spelen.'

Olav knikt. 'Er is weinig interactie tussen de dieren, op een paar na.'

'Zouden dat familieleden zijn?'

'Dat kan.'

'Ik heb ergens gelezen,' zeg ik, 'dat primaten die meer bladeren eten minder sociaal zijn.'

'Dat kan heel goed,' zegt Olav. 'Bladeren zijn er heel het jaar door. Er is weinig competitie, er is geen overleg nodig.'

'Dat verklaart waarom ze als soort niet agressief zijn,' zegt Konraad. 'Het is simpelweg niet nodig.'

'En gisteren dan?' vraag ik.

Konraad zwijgt.

'Is er een mogelijkheid dat we hier twee groepen zien?' vraagt Olav.

Ik tel de neusapen. Het is mogelijk. Dat betekent dat ze inderdaad niet agressief zijn, juist erg tolerant. Ik pak mijn notitieblok en noteer het.

De neusapen veranderen gedurende onze observatie nauwelijks van houding. Ze eten wat, spelen wat, rusten of kijken ons aan. Ze lijken ons te tolereren. Is dat niet vreemd voor een dier? Bewaakt dat niet altijd zijn territorium? Ik moet uit het midden van het rad.

Het wordt kouder. Ik hoor Raaf zuchten.

'Dit is het begin,' zegt Raaf. 'Er vindt nu een verandering plaats.'

Ik denk na. 'Wat is er aan de hand?' vraag ik.

'Dat is een goede vraag.'

Raaf wacht.

'Beantwoord de vraag dan, als je hem zo goed vindt,' zeg ik.

'De aap en het insect met de rode ogen. Het been van Yong. De vlucht van Osu. De ziekte van Danuel...'

'Wordt hij niet beter?' vraag ik, kijkend naar Konraad en Olav, die nog steeds druk aantekeningen maken. Ze hebben het zelfs te druk om de rupsen uit hun haar te vegen, de vliegen uit hun gezichtsveld weg te slaan.

'Er beweegt iets op de Berg zonder te bewegen,' zegt Raaf. Dan zwijgt hij. Het is ondraaglijk. De woorden echoën in mijn hoofd. Alleen Raaf denkt nog helder.

Er is een beest ontwaakt

Het horen van stemmen kan een thuis voor je worden. Ze worden van raadgevers tot vrienden tot meubilair. Je raakt er zo aan gewend, dat het geluid van de stemmen klinkt als je partner na dertig jaar huwelijk. Het is niet zozeer de inhoud die je bevalt, als wel de klank. Die stelt je gerust.

Konraad en Olav maken nog altijd aantekeningen in hun klamme boekjes. Kevers drinken het zweet van hun vingers.

'Zie je wat ze eten?' zegt Olav. 'Ze zijn erg selectief. Vooral jonge bladeren. Vooral *Sonneratia alba*.'

'Dat zou weleens de reden kunnen zijn dat we ze opnieuw op deze plek vinden,' zegt Konraad. 'Zie je ook dat ze hoger klimmen dan we gewend zijn van deze soort? Ze gedragen zich bijzonder vreemd.'

Ik kijk omhoog en zie dat de neusaap nog steeds grijnst. Konraad heeft gelijk. Maar bedoelt hij ook dat hij niet zeker wist of hij de neusapen hier zou vinden? Waarom heeft hij ons dan hierheen gebracht?

Hij kijkt op zijn notitieblok, dan op dat van Olav en dan naar mij.

'Laten we teruggaan,' zegt hij. 'We hebben nu genoeg materiaal. Ik wil Lilith niet te lang alleen laten.'

Olav knikt. Hij is al bezig zijn bril op te bergen.

Ik wil helemaal niet weg. Ik houd ze tegen, want er is iets met deze apen. Er is iets met Wilson, iets aan dit geheel wat ik niet snap. We zien iets over het hoofd wat allang duidelijk had moeten zijn.

'Laten we gaan, Boas,' fluistert Olav.

'Nog even,' fluister ik terug.

Ik wil pas weg als ik weet wat er aan de hand is. Wilson kijkt naar zijn soortgenoten en dan weer naar mij. Een andere aap voegt zich bij hem in de boom. Als de neusapen zien waar ik naar kijk, beginnen ze geluid te maken. Ze grijnzen naar elkaar. Ze grijnzen naar mij. Mijn god, ze weten het, denk ik. Ze weten dat ik Wilson zie als degene die onze ramp heeft veroorzaakt. Ik voel het zweet van mijn rug gutsen, mijn mond droog worden. Ik krijg geen adem, alsof apenhanden mijn keel dichtknijpen, alsof Wilson zelf de lucht uit mijn longen perst.

'Val aan,' zegt Raaf.

Ik zit gehurkt en bal mijn handen tot vuisten. Even zet ik ze op de grond. Zal ik me afzetten en me schreeuwend op de neusaap storten?

Ik aarzel. Ik durf niet. Met een ruk draai ik me om. Nu moet ik rennen voor mijn leven.

'Laten we gaan!' roep ik en ik begin weg te rennen, alsof ik door kuddes wilde dieren word achtervolgd en mijn leven op het spel staat. Mijn longen krijgen nauwelijks genoeg lucht binnen. Voor me zie ik hoe planten samensmelten tot een groen waas. Ik weet niet eens waar ik naartoe ren, als ik maar weg ben van Wilson.

Konraad en Olav zien me opspringen en rennen achter me aan. Dit is de slechtste manier om bij wilde dieren weg te gaan, maar ze volgen. Ze willen niet nog meer mensen kwijtraken.

Na een paar minuten stop ik. Ik ben compleet buiten adem. Konraad en Olav stoppen ook. De neusapen krijsen achter ons.

'Wat was dat in hemelsnaam?' vraagt Olav.

'Er zit iets niet goed,' zeg ik hijgend.

Konraad is woest. Hij geeft me een tik tegen mijn hoofd.

'Zoiets haal je nooit meer uit, begrepen?'

Ik knik. 'Ik weet niet wat me overkwam.'

'Laten we teruggaan,' zegt hij.

Een geweten, zei mijn vader, *is aan jou niet besteed. Je bent een lafaard. Dat zijn de grootste moordenaars van allemaal.*

Onderweg naar het kamp probeer ik de uitspraak van mijn vader uit mijn geheugen te bannen. Ik heb moeite het gesprek met Raaf te vergeten.

Als we een uur onderweg zijn, stopt Olav weer voor bijzondere planten. Het lijkt even of er niets is gebeurd.

'Zie je die vlinders?' vraagt hij. 'Dat komt omdat er duindoornbessen in de omgeving zitten.'

Hij zoekt de plant. Ik kijk naar de opmerkelijk grote vlinders.

'De giftige beervlinder,' zegt Olav als hij wijst. 'De nachtpauwoog. Ze zijn zo mooi.'

Er zijn tientallen vlinders om ons heen, ze verdringen elkaar om bij de duindoornbessen te komen.

We lopen verder. De geluiden van de neusapen worden minder. Ik hoor de vogels weer fluiten.

'Dat is een vliegenvanger,' zegt Olav als hij ziet dat ik geconcentreerd probeer te luisteren. Een vliegenvanger, natuurlijk. De vogel maakt een schitterend geluid.

Konraad glimlacht naar Olav als die nogmaals vraagt of hij er echt zeker van is dat ze goed lopen. Ik loop er stil achteraan. Konraad stoot me aan en wijst op een vogel die in de bomen zit. 'Een boomekster,' zegt hij. Zangvogels zorgen er altijd voor dat ik me beter voel.

'Weet je,' zegt Konraad, 'ik zag dat je laatst met Lilith sprak. Probeer het je niet te veel aan te trekken als ze je zo achter de broek zit. Ze heeft een moeilijke jeugd gehad, denk ik altijd maar. Toen ik haar ontmoette sliep ze in een bed van bloemen en bladeren, omdat ze elke nacht wilde terugkeren naar de natuur. Ze was bang voor felle lichten, door de scherpe schaduwen die ze gaven.'

Ik kijk hem aan.

'Wat ik bedoel,' zegt hij, 'is dat we allemaal onze problemen hebben. Niemand is perfect.'

Behalve Raaf, denk ik.

'Vertel het ze!' krast hij. 'Vertel ze over de jongen en over de speer, vertel ze wat er is gebeurd op een moment bij de scouting waarop je dacht dat je alleen was. Het moment dat je ware aard naar boven kwam en je dacht dat niemand je zag.'

Niemand, behalve een raaf in een boom. Hij heeft gelijk.

'Konraad? Ik moet je wat vertellen,' zeg ik. 'Een paar jaar geleden heb ik bij de scouting een jongen ernstig verwond. We waren met speerwerpen bezig, hij zei dingen over mijn vader, en voor ik het wist zat mijn speer in zijn buik.' Ik hijg, haal even adem. 'Niemand zag het. We waren samen achtergebleven om spullen op te halen. Ik heb hem bedreigd. Hij durfde niets te zeggen. De ambulance kwam, de politie, en mijn vader. Ik zei dat hij het zelf had gedaan, dat hij op een speer was gevallen. Mijn vader wist meteen dat ik loog. Ik denk dat hij me hierheen stuurde om me een les te leren.'

Konraad wacht voor hij iets zegt. Waarschijnlijk is hij bang me te onderbreken, midden in het verhaal. Na een aantal tellen stilte die aanvoelen als een paar uur vraagt hij: 'Hoe is het nu met die jongen?'

'Goed,' zeg ik.

Konraad knikt. Ik ga langzamer lopen.

Ik stap opeens op een steen die lijkt weg te zakken in de grond. Het is een witte, gladde steen die hier niet thuis lijkt te horen. Het lijkt wel marmer, een perfecte ovale vorm, ter grootte van een appel. Hij zou zo in mijn broekzak passen. Ik kijk naar Konraad en Olav, ze hebben niets gezien en lopen rustig verder. Zal ik de steen meenemen?

'Doe het,' zegt Raaf. 'Je zult wapens moeten verzamelen, je zult ze nodig hebben.'

Ik buk en stop de steen in mijn zak. De warme modder voelt vreemd genoeg vertrouwd, alsof ik de steen heb teruggevonden na hem jaren kwijt te zijn geweest.

Ik haast me naar de plek waar Konraad en Olav lopen. Ik glimlach naar ze en steek mijn duim omhoog. Hoe komt het dat de onschuldigste blikken van anderen ons ervan overtuigen dat we een grote fout hebben begaan? Konraad grijnst naar me. Olav slaat zijn arm om hem heen. Alsof ze me zo duidelijk willen maken dat alles goed zal komen.

'Jij weet beter,' zegt Raaf. 'Er is een beest ontwaakt.'

Alles wat je kunt eten

Konraad ontmoette Lilith toen hij bezig was zijn theorieën over de missing link in de biologie wereldkundig te maken. Het was na zijn besef dat hij in zijn eentje de wereld kon veranderen, maar vóór het besef dat de kleinste wijziging in een wateroppervlak niet veroorzaakt hoeft te worden door de kleinste steen. Hij bezat een gematigde arrogantie, waar andere biologen zowel van walgden (de mannen) als tegen opkeken (de vrouwen). Alles verliep zwart-wit en eenvoudig in zijn leven, tot hij Lilith zag.

Hij was door een vriend meegevraagd naar een toneelstuk van Shakespeare, in een poging hem iets van cultuur bij te brengen. Tevergeefs. Het stuk ontging Konraad totaal, maar het moment dat hij Lilith zag zou hij nooit meer vergeten.

In de schouwburg hadden ze met zijn drieën afgesproken en Lilith was laat. Toen ze aan kwam lopen, hoefde Konraad slechts een blik op haar te werpen. Lilith had een koel voorkomen, maar hij zag door haar jurk heen achter haar borsten haar hart kloppen, voelde het pulseren in zijn eigen lijf. Zijn pupillen verwijdden zich, zijn handen wreven ongemakkelijk over zijn kleding in een poging zichzelf op het laatste moment meer te laten zijn dan een egoïstische, ietwat verwaande bioloog.

Ze werden aan elkaar voorgesteld, de vriend liep naar de kassa om de kaartjes te halen. Konraad stond tegenover Lilith onder een plafond met geschilderde wolken, waarover hij een kort gesprek met haar aanknoopte. Lilith bekende op dat moment duizendpoten te onderzoeken, Konraad stelde voor even aan een tafeltje te gaan zitten. Lilith legde een hand op zijn knie.

Was het druk geweest? Waarschijnlijk, want hun vriend deed er een aantal minuten over om met de kaartjes terug te komen, maar van andere mensen zou Konraad zich nooit iets hebben herinnerd. Er was iets aan Liliths oogopslag wat hem dwong eerlijk te zijn. Hij was te arrogant, bekende hij, hij dacht te groots. Hij had schema's waarin de wereld in te delen zou zijn, als hij ze af had. Lilith knikte. Ze sloeg haar groene ogen naar hem op.

Konraad aarzelde twee tellen. Toen kuste hij haar. Hij kon zich niet beheersen, wist dat ze hem waarschijnlijk zou slaan en zou weglopen. Misschien dat zijn vriend hem de kaartjes in het gezicht zou smijten en hij een vriend zou kwijtraken. Het kon hem niet schelen. Deze vrouw moest hij kussen. En Lilith, tegen alle verwachtingen in, kuste hem terug met een felheid die Konraad verraste. Ze liet haar tong langs zijn lippen glijden en duwde die toen diep in zijn mond. Ze pakte zijn gezicht in haar handen, hij kuste haar nek, haar gesloten ogen. Ze greep zijn handen beet, kneep erin, kuste ze en zocht zijn mond weer op. Hij omhelsde haar, trok haar tegen zich aan. Hij voelde dat haar tepels hard waren en hoe ze in zijn borstkas drukten. Hij kreunde even, zo zacht mogelijk, maar ze hoorde het. Ze trok zich even terug, enkele tellen, sloot haar ogen. Op het moment dat ze haar ogen weer opende, keek hij haar aan, bewoog hij zijn hoofd naast het hare en zuchtte in haar oren, terwijl zijn lippen zachtjes haar hals raakten. Hij sloot en opende zijn ogen, zij likte nog eens aan zijn lippen en grinnikte toen ze de trilling zag die ze bij hem teweegbracht. Zijn handen streelden haar rug, pakten haar jurk soms stevig beet, om dan weer los te laten en over haar rug rond te dwalen, op zoek naar dat hart dat hij al had horen kloppen toen hij haar zag.

Vanuit zijn ooghoek zag Konraad dat zijn vriend in aantocht was met de kaartjes.

'Laten we hierna wat eten,' zei hij tegen haar.

'Wat wil je eten?' vroeg Lilith.

'Alles wat je kunt eten.'

Ik hoop dat ik niet droom vannacht

Het is avond als we terugkomen in het kamp. Vogels vliegen op als we aan komen lopen. Bijzonder, dat ze zich zo dicht in onze buurt hebben gewaagd. Zouden de insecten ze hebben aangetrokken?

Ik laat de anderen naar hun tenten gaan. Zelf blijf ik staan en doorzoek de boomtoppen op meer vogels, alsof ze me antwoord kunnen geven op de vragen die in mijn hoofd rondspoken.

'Je denkt aan een monster, omgeven door vliegen, en denkt dat het jullie bedreigt. Je denkt dat er beesten zijn in het oerwoud die gevaarlijker zijn voor jullie dan jullie voor hen. Jullie hebben het beest zelf gecreeerd. Het zit in jullie allemaal.'

'Lilith!' roept Konraad als ze het kamp binnenlopen. 'Waar ben je?'

Geen antwoord. Olav kijkt om zich heen. 'Ik help je zoeken.'

Samen doorzoeken ze het kamp. Niets. Geen spoor van Lilith. Geen spoor van vernieling of de aanwezigheid van iemand of iets anders.

'Zou ze alleen de jungle in zijn gegaan?' vraagt Olav. Hij doet een paar stappen van het kamp vandaan de jungle in, loopt terug en zoekt naar voetafdrukken.

'Zo stom kan ze niet zijn,' zegt Konraad. Hij is verrassend rustig en loopt naar de tent van Danuel, die nu bijna zwart ziet van de kevers en mieren. De insecten zijn aan een ware invasie bezig. Konraad ritst de tent open en maakt Danuel wakker.

'Waar is Lilith?'

Danuel hoest. Hij komt overeind, rillend. Zijn blauwe ogen zijn dof. Hij maakt een verwarde indruk. Is dit de nuchtere bioloog die ons van ziektes en infecties moet genezen?

'Wat?' stamelt hij.

'Waar is ze?'

'Bij haar insect.'

'Daar is ze niet.'

'Jawel, ze is in het kamp.'

Hij draait zich om en wil verder slapen. De koorts is niet gezakt.

Ik heb het idee dat Konraad het tentzeil niet zo lang open moet houden. De insecten zien nu dat er een weg naar binnen is en de eerste patronen van kevers en mieren vormen zich. Wat als er schorpioenen en spinnen bij Danuel binnendringen? Ik wil het Konraad zeggen, maar ik durf niet.

'Danuel, ze is er niet.'

Langzaam komt hij overeind. 'Hoe bedoel je, ze is er niet?'

'Zoals ik het godverdomme zeg!' roept Konraad.

Hij slaat tegen de tent en schreeuwt haar naam. De helft van de insecten valt van het tentdoek en begint opnieuw aan de beklimming naar de top.

'Lilith is verdwenen,' zegt Olav. 'Ze is niet in het kamp.'

Ik kijk naar Konraad, die zijn woede op Danuel wil botvieren. Hij grijpt hem vast, heeft hem met twee handen beet bij zijn nek. 'Zeg me godverdomme waar ze is!'

'Dat weet ik niet. Echt niet.'

'Als er iets met haar gebeurd is...'

Konraad sluit enkele seconden zijn ogen. Olav en ik staan doodstil af te wachten wat hij zal doen. Dan draait hij zich om en loopt weg.

Ik roep hem, maar Olav gebaart dat het geen zin heeft. Hij gaat weg, Lilith achterna. Hij rent de jungle in en laat een leegte achter daar waar hij door het mozaïek van groen werd opgeslokt. De jungle opent en sluit zich, en eet ons een voor een op. Eerst Lilith, dan Konraad. Om nog maar te zwijgen van Osu en Yong.

Konraad heeft een kans haar te vinden. Hij kent deze jungle goed, dat heeft hij laten zien toen hij ons naar de neusapen en weer terug kon begeleiden. Misschien is hij veel vaker alleen het oerwoud in getrokken, bijvoorbeeld als we sliepen. Het zou wel moeten; de vaart waarmee hij ons verliet zorgt ervoor dat het kamp over twintig minuten al onvindbaar kan zijn.

Konraad kan sterven in dit regenwoud, hopeloos verloren en helemaal alleen.

Is Lilith gek geworden van de beet van de Heer van de Vliegen, dat ze het oerwoud in is gelopen? Heeft ze spijt van de uitwerking die de beet op Danuel heeft en straft ze zo zichzelf, of zoekt ze misschien naar een geneesmiddel?

Olav kijkt naar Danuel, die van vermoeidheid bijna weer in slaap is gevallen.

'Gaat het wat beter?' vraagt Olav.

Er komt een zacht gemompel uit Danuels mond, dat vervolgens weer wegzakt. Olav veegt de spinnen en kevers uit de tent, sluit het tentdoek. We pakken allebei een stoel en gaan bij zijn tent zitten.

Zodra je een stoel hebt schoongeveegd van insecten en hebt neergezet, beginnen nieuwe insecten aan de beklimming. Het lijkt wel of ze een niet te temmen drang hebben om naar het hoogste punt te klimmen, om elk voorwerp te verkennen.

Even later sta ik met tegenzin op om wat te eten te pakken. Als ik naar de tent met het eten wil lopen, zie ik de harige witte rups voor mijn voeten kruipen. Even komt de gedachte op om het beest kapot te stampen, maar ik houd me in. Het oerwoud zal het me misschien niet vergeven als ik moedwillig een van zijn inwoners dood. Ik hoor geluiden in de bomen en kijk omhoog. Drie spookdiertjes komen samen op een tak. Ze bewegen hun lange staarten. Ze zijn op zoek naar insecten en spinnen. Naar kleine reptielen en schorpioenen. Klaar om hun prooi te bespringen en dood te bijten. Moordenaars.

Samen houden Olav en ik de wacht. Als Konraad een paar uur later nog niet terug is, besluiten we te gaan slapen.

'Konraad moet terugkomen,' zegt Olav. 'Het heeft voor ons geen zin de hele nacht te proberen op te blijven. We gaan af en toe bij Danuel kijken, maar we moeten slapen om morgen een goede oplossing te kunnen bedenken. Bovendien komt Osu morgen terug.'

Dat denk je maar, wil ik zeggen, maar ik zeg het niet. Ik knik en kijk hem na als hij naar zijn tent loopt. Voorzichtig stappend zoek ik mijn eigen tent op, zorgvuldig de insecten mijdend. Het lijkt me geen goed idee te veel inwoners van de Berg dood te maken, al begint dat bijna onmogelijk te worden met de aantallen insecten die zich bij ons hebben verzameld.

Op mijn tent hebben verschillende dagpauwogen zich gevestigd. Hun tongen speuren het zeil af naar de stampers die ze zoeken, of zijn ze bezig langzaam mijn tent kapot te bijten? Kruipen er daarom miljoenpoten over de ritssluiting, om toe te slaan als er een opening is gevonden?

'Ik vraag me af of je dit kunt verklaren,' zegt Raaf als ik op de stretcher in mijn slaapzak lig.

Ik kreun en kijk naar het schaduwspel van insecten op het doek boven me.

'Wat moet ik dan?' vraag ik.

'Je moet nadenken, Boas. Nu zijn er nog maar drie.'

Ik draai me om. Ik vraag me af hoe het met Danuel is. Maar ik heb geen verstand van jungleziektes. Ik wil hem niet wakker maken.

Voorzichtig pak ik de steen die ik heb gevonden.

'Wat moet ik doen?' vraag ik de steen.

Geen antwoord. Natuurlijk niet. Ik draai me om, wil niets meer weten. Af en toe denk ik dat ik iets voel kriebelen bij mijn voeten. Keer op keer controleer ik mijn slaapzak. Ik vind niets. Ik denk aan de harige witte rups en de rillingen lopen over mijn rug. Twee keer kijk ik mijn tent na op schorpioenen, spinnen en duizendpoten. Aan een derde keer kom ik niet toe. Ik ben te moe om wakker te blijven. Ik hoop dat ik niet droom vannacht.

Ik zie de tenten voor me

Midden in de nacht word ik wakker. Ik hoor gestommel. Het is Konraad, terug van zijn tocht door de jungle.

'Nu zijn jullie weer met z'n vieren,' zegt Raaf. Hij klinkt ietwat teleurgesteld.

Ik durf niet te bewegen. Mijn hoofd zit vol schorpioenen, ik voel dat er iets niet klopt. Konraad heeft zijn vrouw niet gevonden. Lilith dwaalt nog altijd ergens in het oerwoud rond. Dit is niet het moment om hem aan te spreken. Dit is het moment om rustig te blijven, op afstand. Ik lig doodstil op de stretcher en luister naar Konraad. Ik hoor hem mompelen. Ik hoor hem rondlopen in het kamp. Hij is gek, denk ik. Hij is gek, en als niemand iets doet vermoordt hij ons allemaal. Misschien is hij wel degene die Danuel heeft vergiftigd en Yong heeft verwond. Heeft hij er ook voor gezorgd dat Lilith verdwenen is? De voetstappen worden zachter. Ze verwijderen zich van het kamp.

'Erachteraan,' zegt Raaf.

'Waarom?'

'Je wilt toch weten of hij echt gek is?'

Ik weet dat hij gelijk heeft. Met tegenzin trek ik wat kleren aan, pak een kompas, een touw en zaklamp en stap voorzichtig mijn tent uit. Spanners vliegen me tegemoet. De vlinders op mijn tentzeil hebben plaatsgemaakt voor kevers en motten. Ik probeer me te concentreren. Als ik verkeerd loop, zie ik het kamp nooit meer terug. Als ik de weg niet goed onthoud ook.

De maan verlicht het oerwoud tot de stukken waar lianen en struiken voor een eeuwige schaduw zorgen. Onder de heldere lucht zijn in de boomtoppen honderden ogen te zien. De jungle slaapt nooit en houdt me in de gaten. Spookdiertjes krassen met hun lange vingers aan de takken.

Op een afstand loop ik achter Konraad aan. Zoekt hij naar Lilith? Dwaalt hij rond in de jungle?

Gelukkig geeft de maan veel licht. Alleen het bewegen van Konraad voor me en een vlaag maanlicht geven me een idee van waar ik heen ga.

Waar er een beekje uit een waterval stroomt, links van hem, volgt Konraad het beekje. Het moet verbonden zijn aan de Liwagurivier. Ik volg op twintig meter, mijn zaklamp tegen mijn jas. Een kleine spitsmuis rent voor me uit. Kikkers springen op de oevers bij het water. Ik zie al voor me hoe een kleine Lilith er met een visnet achteraan rent. Verderop beweegt er iets bij de beek. Een wezel? Een slang? Al deze dingen schieten door me heen terwijl ik langs de rivier loop.

Konraad weet dat ik achter hem aan zit, dat moet, maar hij geeft er geen blijk van. Alsof hij gehypnotiseerd is, loopt hij door het oerwoud. Dan mindert hij vaart. Hij wacht en wordt omgeven door donkere gestalten.

'Hij bezoekt de neusapen,' zegt Raaf.

Hij heeft gelijk. Ik zie hoe Konraad zonder enige angst op Wilson afloopt en zijn gezicht aanraakt. De aap heeft zich uit de bomen laten zakken en staat voor hem op de grond. Het valt me nu pas op hoe ongewoon groot de aap voor zijn soort is. Wilson raakt het gezicht van Konraad aan, zoals Konraad dat daarvoor bij hem deed. Dan begint Konraad zijn armen te bewegen, alsof hij een overdreven geheimtaal uitprobeert op de aap. Maar het is geen uitproberen, want Wilson bestudeert de armbewegingen aandachtig en beantwoordt ze met gesnuif en zacht gegrom. Konraad op zijn beurt snuift en gromt terug, een stuk zachter en minder indrukwekkend dan de neusaap, maar het lijkt wel te werken. Steeds meer neusapen laten zich uit de takken zakken en voegen zich snuivend en grommend bij Wilson. Als Konraad een manier heeft gevonden om met deze dieren te communiceren, zijn ze veel slimmer dan we denken. Hij praat tegen de aap. Hij kijkt hem recht in de fonkelende ogen en praat met hem. Hij is niet bang. Konraad lijkt de leiding te nemen en alle neusapen lijken dat te accepteren. Ook Wilson grijpt niet in. Hij snuift en gromt, en heeft nu een stille en overzichtelijke positie aan de zijkant ingenomen.

Straks wijst hij de apen waar we zitten, denk ik. Voorzichtig stap ik achteruit en begin aan de terugweg, zo stil mogelijk. Zitten we soms in hun territorium? Dat zou een grote fout zijn. Elke vijftig stappen houd ik even halt, kijk ik achterom en vervolgens op het kompas. Dan luister ik terwijl ik doodstil sta. Maar voorzichtigheid is nu niet nodig, merk ik. De apen hebben het te druk met de bijzondere situatie die er tussen Konraad en Wilson is ontstaan. Ze weten dat ik er ben, maar ze negeren me. Als ik na de zevende keer omkijken het gevoel heb ver genoeg bij de neusapen verwijderd te zijn, loop ik door en probeer me op de terugtocht te concentreren. Stap voor stap moet ik oppassen niet op een slang of leguaan te staan. Een beet in het midden van de jungle zou mijn einde kunnen betekenen. Ik blijf aan mijn baard krabben, ik pluk aan de natte haren op mijn hoofd.

'Konraad is gek geworden,' zeg ik.

Raaf zucht. Is hij me zat? Ik hoop het niet. Op hem na heb ik niemand. 'Er is iets met die aap,' zeg ik.

'Helemaal niet,' zegt Raaf. 'Er is iets met jou, Boas. Met jullie allen. Iedereen op de expeditie. Lilith, Danuel, Olav, Yong, Osu, Konraad, jij. Jullie vergeten te eten, te drinken, jullie wassen je niet. Het enige wat jullie doen is nadenken over Wilson, de Heer van de Vliegen en de Berg. Jullie slapen zelfs nauwelijks.

Denk eens goed na: wanneer was de laatste keer dat je hebt gegeten? Wanneer was de laatste keer dat je hebt geslapen?'

Ik probeer hem te negeren. Ik heb het beekje weer gevonden. Ik haal een van de stukken touw die ik op de heenweg om een boom had geknoopt er weer af.

'Je hebt je verstand verloren,' zegt Raaf. 'Je bent krankzinnig.'

'Onzin,' snuif ik. 'Dan...'

'Dan wat?' onderbreekt hij me. 'Dacht je dat je het dan doorhad? Weet de idioot dat hij belachelijk doet?'

Ik stop even om naar een boomstam te kijken. Is het een liaan of een slang die om de bast geklemd zit? 'Ik heb belangrijkere zaken te doen dan je raadsels oplossen,' zeg ik dan, als ik weer verder loop, mezelf ervan overtuigend dat het beter is niet van elke liaan te weten of het echt een onbeweeglijke plant is.

Raaf lacht. Het is een akelig krassen dat zo hard is dat het de rest van de geluiden in het oerwoud overstemt.

'Mijn raadsels zijn de jouwe, Boas. Je loopt terug naar het kamp om Olav te vertellen wat er gebeurd is. Wat je gezien hebt. Je wilt een beslissing maken. Je wilt weg uit de jungle. Maar je kunt helemaal geen beslissing nemen. Je bent doorgedraaid. Die dagen in afzondering hebben je te pakken genomen. Je hebt uren gelopen. Hoe wil je in vredesnaam in het holst van de nacht door de dichtbegroeide jungle een klein kamp terugvinden zonder enige hulpmiddelen? Het lijkt of je nadenkt, maar dat kun je niet. Niet meer. Daarom praat je met mij.'

Ik doe mijn best zo zeker mogelijk te klinken: 'Als ik echt gestoord was, zou ik dan de weg naar het kamp kunnen terugvinden?'

'Als je echt gestoord bent, ben je nooit ver weg geweest.'

'Waarom zou ik dan uren hebben gelopen?' roep ik.

Raaf zwijgt. Ik zie de tenten van het kamp voor me opdoemen in het licht van de maan en de sterren. Ik hoor het zachte zoemen van de spanners naast mijn oren. Er is maar één iemand gek, en dat is Konraad. En Wilson, die rotaap. Ik moet hier weg zien te komen. Er moet een groep specialisten komen om Wilson te onderzoeken. Om Danuel te onderzoeken. Om Lilith te vinden. Om Konraad op te sluiten. Er klopt niets van. Ik moet het Olav vertellen.

Het kamp was inderdaad niet ver. Ik zie de tenten voor me.

Ik kan maar beter niet meer slapen

In het kamp tref ik Olav ijsberend aan. Ik ben vergeten hem te waarschuwen dat ik wegging. Ik voel een steek in mijn maag.

Raaf zegt: 'Dit ben je helemaal niet vergeten. Dit heb je moedwillig genegeerd.'

'Gelukkig,' zegt Olav, druk slaand naar de muggen voor zijn gezicht.

'Het spijt me.'

'Ik dacht dat ik als laatste zou overblijven.'

Ik neem een moment om die woorden in me op te nemen. Een stem in mijn hoofd zegt me dat ik degene ben van deze hele groep die alleen overblijft.

'Ik moet je wat vertellen,' zeg ik. 'Ik zag Konraad. Hij kwam het oerwoud uit en liep er weer terug in. Hij werd opgeslokt. Ik ben hem achternagelopen. Konraad heeft Wilson gevonden. Hij praat met de aap. Hij is knettergek geworden, en belangrijker nog: gevaarlijk.'

Raaf krast. 'Toe maar,' zegt hij. 'Vraag aan Olaf hoelang je weg bent geweest.'

Olaf kijkt naar me alsof hij naar een auto-ongeluk kijkt. 'Ik denk dat het niet goed met je gaat, Boas.'

Zijn blik is er een vol medelijden.

'Ik denk dat het allemaal met elkaar verbonden is,' zeg ik. 'Wilson met de vreemde fonkeling in zijn ogen. Ik zag hetzelfde bij het insect dat Lilith had ontdekt. En sterker nog: ik zag de fonkeling ook bij haar terug.' Ik stamel, ik struikel over woorden, ik zie dat Olav me niet gelooft. 'Er is iets aan de hand met die beesten. We zijn in een vreemd gedeelte op aarde beland. Een land zonder wind. Er heersen andere wetten hier. Het gaat ons allemaal aan. Snap je dan niet dat ons leven ervan afhangt? De ziekte van Danuel is niets meer dan de beet van het insect. En Wilson heeft het been van Yong gebroken. Met de apen is iets vreemds aan de hand. En wat het insect betreft, ik denk niet dat het uit zijn bak is ontsnapt. Ik denk dat het is vrijgelaten.'

Ik begin te zweten. Olaf ziet het. Het zweet trekt insecten aan. Ik krab ze van mijn wangen, van mijn hoofd. Ik pluk een kleine larve van mijn oorlel en vraag me af of ik het door zou hebben als er een naar binnen was gekropen.

'Door wie?' vraagt hij.

'Lilith, om te experimenteren. Dan wist ze pas echt goed wat voor beest het was. Als het iemand zou infecteren. Ze heeft het zichzelf laten steken, maar er gebeurde niets. Ze moest meer bewijs hebben, dus liet ze het Danuel steken. Wij horen hier niet. En deze plek verzet zich met alle mogelijke middelen tegen ons verblijf.'

Even ben ik stil, of zoek naar woorden. Olav kijkt me aan met een frons op zijn voorhoofd, zo duidelijk dat hij in het maanlicht te zien is.

'Yong wist het,' ga ik verder. 'Hij wist dat als hij bij ons bleef of iemand van ons meenam, hij het niet zou halen. Nu haalt hij het waarschijnlijk ook niet, maar het was zijn beste kans.'

Olav zwijgt even en schudt dan zijn hoofd.

Wat doe je met mensen die gek zijn? zei mijn vader. *Sluit je ze allemaal op? En dan?*

Ik blijf Olav aankijken. Deze plek heeft van ons allen gevaarlijke mensen gemaakt, denk ik.

We lopen naar de tent van Danuel, overwoekerd met kevers die over elkaar heen kruipen. Ik open de tent en zie hem daar worstelen met onzichtbare vijanden. Slijm loopt uit zijn mond. Zijn ogen staan wijd open. Overal op zijn armen staan de striemen van zijn eigen nagels. Hij maakt zichzelf gek. Hij maakt zichzelf dood. Samen met Olav probeer ik hem in bedwang te houden. Het schoppen en slaan naar mijn hoofd neem ik voor lief. Ik heb geen andere keus. Danuel schreeuwt het uit. Tussen de angstkreten door gromt hij. Af en toe versta ik een paar woorden. 'Laat... me... los! Ze... vreten... me... op!'

Na verloop van tijd verliest Danuel de kracht. Hij valt weer in slaap. Olav en ik kijken elkaar aan. Olav schudt zijn hoofd. We stappen naar buiten en sluiten de rits. Zijn alle gevaarlijke insecten buiten gebleven? Was het bloed op de arm van Danuel of was het een giftige spin?

'Laten we hulp gaan zoeken,' zeg ik.

'Wil je Danuel, Konraad en Lilith hier alleen laten?' vraagt Olav.

'Konraad en Lilith zijn hier niet. Ik heb het gevoel dat we allemaal sterven op deze plek als we niet een uiterste poging doen hier weg te komen.'

Olav loopt naar zijn tent. Ik loop achter hem aan.

'Ik volg mijn rationele gedachten,' zegt hij. 'En ik zeg dat we wachten tot Osu terugkomt.' Zijn eigen tent wordt door mieren bevolkt. Ze maken patronen en brengen de lijken van dode insecten naar boven en beneden, naar de werkers, die ze nodig hebben, en naar de koningin, die ze commandeert.

'Maar die komt helemaal niet terug,' roep ik hem na. 'Heb je daar nooit aan gedacht? Dat hij helemaal niet meer terugkomt? En dat wij hier moeten wachten om ons af te laten slachten? Alsjeblieft! Je moet bedenken dat als Osu niet terugkomt, we een groot probleem hebben. We weten niet hoe we Danuel beter moeten maken. We weten niet wat er met Lilith gebeurd is. We weten niet wat er nu omgaat in Konraads hoofd.'

Olav stopt en draait zich om. Hij is nog altijd kalm.

'Dat snap ik,' zegt hij. 'Niet van Konraad, maar van Danuel en Lilith.'

We staan nu op enkele meters van elkaar. Zwijgend. In de stilte hoor ik hoe de geluiden in het oerwoud langzamerhand afnemen. Het organisme van de jungle beweegt mee met onze woede. Het oerwoud ademt. Ik hoor een boomekster roepen, maar ik zie niets. Het is te donker. Misschien ben ik wel de enige die deze geluiden hoort.

Ik doe enkele stappen zijn richting uit. 'Ik wil hier zo spoedig mogelijk weg.'

'Niet nu. We moeten eerst slapen en uitrusten voor we een beslissing kunnen nemen.'

Ik staar naar de tent van Danuel. Is de Berg bezig zijn leven te nemen? Zou Olav wel willen vluchten als Danuel dood was? 'Wat doen we met hem?' vraag ik.

'Rustig laten liggen. Er gebeurt niets. Als Konraad terugkomt horen we dat. We moeten slaap krijgen. Dan kunnen we morgen beslissen wat we moeten doen. Dat is de enige manier.'

Ik voel me ziek. Larven kruipen over mijn schoenen. Vogels jagen op de insecten op mijn tentzeil. Sprinkhanen gaan het gevecht met de mieren aan. Ik word misselijk bij de gedachte dat Konraad ergens rondloopt. Ik kan maar beter niet meer slapen.

Ik moet met Raaf overleggen

Het is ochtend. Dag 14 van de expeditie. We hadden gehoopt op spektakel, en dat hadden we gekregen. Ik zie in het zonlicht de schaduwen van vlinders die op het tentzeil drinken van de dauw voor ze verder vliegen.

Ik lig op mijn stretcher en hoor een ritme in de geluiden om me heen. Primaten, vogels, insecten en bewegende bladeren. De geluiden zwellen aan en zwakken af. Ik tel ze als hartslagen. Als een ademhaling.

Het wandelend blad zoekt een weg over mijn vochtige tentzeil, achtervolgd door kevers en mieren, die hem als een leider de weg laten wijzen.

Ik voel hoe een traan mijn ooghoeken verlaat op het moment dat een gedachte me te binnen schiet. De traan loopt over mijn wang als ik besef dat geen van ons hier ooit nog wegkomt. De traan raakt de grond als de naam van het hart over mijn lippen komt, in nauwelijks hoorbare klanken, alleen voor het oerwoud bestemd: Wilson. De wetenschap dat het hart van het oerwoud in beweging is richting het kamp zal me niet meer loslaten.

Met mijn handen zoek ik de steen en pak hem vast. Ik zou willen dat iets of iemand me de weg naar de bewoonde wereld wees. Maar de steen zegt niets. Ik leg hem naast me neer.

Ik hoor gerommel en weet dat Konraad terug is. Rusteloos en agressief. Ik vraag me af wat er gebeurt als het tot een confrontatie komt. Hij is waarschijnlijk in alle staten. Ik probeer rustig te ademen. Ik kom overeind op mijn stretcher en probeer zo weinig mogelijk geluid te maken. Ik hoor geritsel. Olav komt de tent uit.

'Konraad?' hoor ik Olav vragen, en voordat hij kan antwoorden ben ook ik mijn tent uit gekropen.

Midden in het kamp staan we nu met zijn drieën in een perfecte driehoek, geflankeerd door tenten en planten. Ik kijk Konraad in de ogen. Het is geen mens die daar staat. Het is geen mens die daar met die bloeddoorlopen ogen naar me kijkt. Het is een beest. Praat de Berg met ons via hem? Olav kijkt even naar mij, en terug naar Konraad.

'Als we dit goed willen doen,' zegt hij, 'moeten we dit nu bespreken.'

Ik hoor de trilling in de stem van Olav terwijl hij spreekt. Ook hij is doodsbang.

'Zeg iets, Konraad,' hoor ik mezelf boven elke verwachting zeggen.

Konraad staat daar maar, wankelend. Even likt hij met zijn tong zijn lippen af. 'Mijn vrouw is verdwenen. Die kansloze eilanders zijn verdwenen. Alleen wij zijn nog over.'

'Misschien komen ze terug,' zegt Olav.

Konraad schudt zijn hoofd. 'Daar kunnen we niet van uitgaan. En dat betekent dat wij hier niet weg kunnen. Geen enkele persoon mag het kamp nog verlaten, behalve om naar Lilith te zoeken.'

Ik kijk naar Olav. 'Dat kun je niet van ons vragen,' zeg ik.

'Wilde jij weggaan dan?' zegt Konraad. Hij loopt op me af.

Ik voel dat mijn handen beginnen te trillen. Als hij voor me staat, is hij zo dichtbij dat we elkaar bijna aanraken. Ik zie de zweetdruppels op zijn voorhoofd en de insecten die erheen vliegen.

'Kalm,' zeg ik, zowel tegen Konraad als tegen mezelf. Kalm blijven. Ik heb het gevoel dat ik in de ogen van de duivel kijk. Verwijde pupillen en rode vlekken die de iris omringen.

'Jij wilde weggaan, klootzak. Jij pakt je spullen zodra je de kans krijgt, of niet?'

Hij vermoordt me als hij de kans krijgt, denk ik.

De zachte stem van Olav doorbreekt de spanning: 'Laten we geen domme dingen doen. We hebben alleen elkaar nog. Boas gaat nergens heen. Hij zegt dat jij de weg weet.'

Bij het horen van die informatie zie ik kort verbazing op Konraads gezicht. Nu weet hij het. Nu weet hij dat ik hem heb zien praten met Wilson, dat ik hem 's nachts gevolgd ben en alles heb gezien. Hij staat nog steeds recht voor me.

'Jij moet op je tellen passen,' zegt hij.

'Konraad, kom op,' zegt Olav.

Konraad negeert hem.

'Jij weet iets, of niet?' zegt hij nu hard in mijn gezicht. Ik voel het speeksel tegen mijn wangen spetteren. 'Jij weet iets. Zeg op.'

Ziet hij het aan me? Ziet hij door me strak aan te kijken dat ik iets weet?

'Zeg op.'

Ik tril nog steeds. Elke beweging kan de verkeerde zijn. Elke aangespannen spier die lichtjes ontspant kan opgevat worden als een daadkrachtige en provocerende actie. Alsof ik tegenover een wild dier sta. Alsof ik in de dierentuin in de leeuwenkooi ben gevallen en nu tegenover het alfamannetje sta. Geen wilde sprong die me in één keer van het leven berooft, maar een afwachtende houding. Eerst maar eens zien wat jij doet, lijkt hij te willen zeggen. Eerst maar eens zien of jij nog probeert weg te rennen, en dan zal ik je laten weten dat dit onmogelijk is. Maar totdat jij beweegt, sta ik hier.

De spanning is ondraaglijk. Ik moet iets zeggen. Er klimmen spinnen ter grootte van mijn hand mijn broek omhoog, maar ik durf niet te bewegen.

'Konraad,' fluister ik. 'Ik weet niets. Ik heb niets gezien.'

‘Geen spoor van Lilith? Geen rondlopende wilden met speren? Geen kannibalen met stukken van haar vlees in hun handen? Geen apen met gebaren? Geen stille tocht in de jungle waarbij een man die zijn vrouw zoekt wordt achtervolgd?’

Ik denk aan de verhalen van mijn vader over de martelingen die hij heeft ondergaan en ik slik even. Waar zou Konraad toe in staat zijn?

‘Waarom zou ze weg zijn gegaan?’ vraagt Olav.

Konraad kijkt hem aan. ‘Dat weet ik niet.’

‘Zou ze bij de steeloogvliegen kunnen zijn, de plek waar we ze hebben gevonden?’

Konraad schudt zijn hoofd. ‘Dat dacht ik ook, daar heb ik gezocht.’

Olav staat met zijn handen in zijn zij. ‘En bij Wilson?’

Even kijkt Konraad me aan. ‘Nee,’ zegt hij dan, terwijl hij me blijft aankijken. ‘Daar heb ik ook al gezocht.’

‘Heeft ze dit weleens vaker gedaan?’ vraag ik voorzichtig.

‘Nooit.’

Olav komt naar ons toe gelopen en legt zijn handen op onze schouders. ‘Het komt goed,’ zegt hij. ‘We verzinnen er samen iets op.’ Ik zie hoe zijn gedachten afdwalen naar zijn zoon. Naar Emre. Hij ziet het kind in de buik, met gesloten ogen. Hij ziet het zijn ogen openen. De levensvrucht. Het toekomstige alles aan het bestaan. Daarom is Olav zo vaak zo kalm. Ik zie hem denken. Emre verdient het om zijn vader te kennen. Hij verdient het om van gehouden te worden en in alle rust op te groeien bij liefhebbende ouders die er geen wild expeditieleven op na houden.

Konraad heeft moeite zichzelf staande te houden.

'We blijven hier,' zegt Olav, 'en we praten over de mogelijkheden. We praten over wat er kan en wat er niet kan. We praten over wat we gaan doen. En we geven niemand op. We blijven bij elkaar en we vinden een oplossing voor dit probleem. Voor elk probleem is een oplossing.'

Konraad en ik knikken.

De geschiedenis zit vol met onopgeloste problemen. En als we het hier er niet levend van afbrengen, zijn we geen uitzondering die in de geschiedenisboeken terecht zal komen. We zijn de zoveelste bevestiging dat het leven zich niet laat coördineren. Dat wanneer je risico neemt, je ook daadwerkelijk veel gevaar loopt.

Op de een of andere manier hebben we het hart van deze plek geraakt en nu wil het ons weg hebben. De gedachte alleen al maakt je gek. In dit kamp, waar insecten hun thuis hebben gezocht, lijkt alles mogelijk. Eten moeten we. Drinken. Slapen. Een plan maken. Ik moet met Raaf overleggen.

Er leeft iets op deze Berg wat nooit slaapt

De jungle kruipt. Ik zie het in alle insecten die om me heen bewegen, in de spinnen die hun webben maken, in de rupsen die hun hoofden in de lucht steken om elke trilling op te vangen en in de eekhoorns, spookdiertjes en apen die in de bomen hun poten rond de takken klemmen.

We zitten met elkaar vlak bij Danuels tent.

'Luister,' zegt Konraad. 'Ze loopt gevaar. Ik ben al eens eerder op deze Berg geweest. Lilith en ik waren met drie gidsen en drie andere biologen. Acht man sterk. We wilden een gedeelte opzoeken van de Berg waar nooit iemand kwam. Een plek waar nooit iemand over praatte. Er gingen alleen geruchten. Er zou een kannibalistische stam zijn. De gidsen wisten meer dan wij. Voor geld brachten ze ons erheen. We vonden de plek na drie weken en troffen ze daar aan, de kannibalen. Beesten zijn het, maar niet zoals je hoort in de avontuurlijke verhaaltjes. Heel gestructureerd zijn ze, met een maatschappij en regels, onfeilbaar haast, maar het zijn beesten.'

Even stopt hij om insecten van zijn gezicht te vegen, een pauze die we allemaal gebruiken om onze kleding te ontdoen van alle kevers, torren en spinnen die een weg naar onze huid zoeken.

'Ik wil niet zeggen dat ze hele mensen aten,' gaat Konraad verder. 'Ik wil niet zeggen dat wij moesten vrezen voor onze levens of dat een paar van ons niet zijn teruggekomen omdat ze opgegeten zijn, maar zodra het onderwerp ter sprake kwam, grijnsden ze op een manier die ik nooit meer zal vergeten. Het is een soort godsdienst voor ze, het eten van mensenvlees. En natuurlijk werd het ons aangeboden.'

'Heb je het gegeten?' vraagt Olav.

'Ik kan niet zeggen dat ik graag wou, maar ik was genoeg onder de indruk van alle verhalen om zeker te weten dat ik geen ruzie wilde met deze mensen. Ik wilde ze niet beledigen. Dus ik heb het gegeten, mensenvlees. Het smaakte niet eens heel raar. Ik heb maar niet gevraagd waar ze het vandaan hadden. Dat durfde niemand te vragen. Maar een van de andere biologen vroeg wel aan onze gids of die hun wilde vragen waarom ze dit aten. Het opperhoofd van de stam, daar zaten we mee rond een kampvuur, vertelde toen dat er een tijd was dat ze geen mensenvlees aten. In die tijd waren er nog veel dieren in hun gebied geweest. Ze wisten van het bestaan van de zogenaamd beschaafdere volkeren verderop, maar ze kozen ervoor om met hun stam in de jungle te leven en te eten wat de natuur hun bood. Bessen, vruchten en vlees. Vogels, apen, eekhoorns. Soms een vis uit een beekje. Soms een paar insecten als er weinig was. Maar gedurende de jaren kwamen er steeds meer dalen in de etensvoorziening. En na een jaar of twintig waren er bijna geen dieren meer over. Toen ze zich dat realiseerden, merkten ze op dat de pieken en dalen als een eb en vloed van het oerwoud konden worden gezien. Behalve in voedsel kende het oerwoud in alles een eb en vloed. Zo ontstonden er geruchten over de Berg als een almachtig wezen dat de jungle als een levend geheel zag en tegelijk het hart van deze jungle was. Deze Berg zou wraak willen nemen voor alles wat ze de dieren hadden aangedaan. Als oplossing begonnen ze maagden te offeren, door deze naar de top van de berg te brengen en daar met stenen tot moes te slaan. Maar dat was niet genoeg en de woede van de Berg vergrootte. De stam zou niet alleen hun maagden moeten straffen, maar ook zichzelf. Dus begonnen ze van elk van hen het bovenste vingerkootje van de pink af te snijden en dat op te eten. De ademhaling van de jungle kwam langzaam tot rust. Zo wist de stam dat het goed was wat ze deden. Nu moesten ze doorgaan. Bij ieder was het vingerkootje van de pink al gesneuveld, dus eens in de zoveel tijd werd er een stukje vlees ergens van hun lichaam gehaald en opgegeten. Ze geloofden dat alles goed zou komen zolang dit werd volgehouden. Natuurlijk stierven veel mensen van de stam aan infecties aan de wonden wanneer er vlees van hen werd gebruikt, maar door dit te verklaren als de woede van de Berg, bleven ze ermee doorgaan. Het was immers ooit zo slecht gegaan en nu kwamen er al mondjesmaat dieren terug in het gedeelte van het oerwoud waar ze hun kamp hadden. Ze raakten deze dieren niet aan. Ze vereerden ze, en aten alleen nog vruchten en vis naast hun eigen vlees. Aan slechte voeding stierven ook veel leden van de stam. Toen wij er waren, was de stam al flink uitgedund. Maar we durfden niet te suggereren weer met het eten van dieren te beginnen. Ze waren te bang voor de wraak van de Berg. Ze waren te bang dat de Berg hen zou uitkiezen om tot in de eeuwigheid te martelen. Ook al gingen ze er als volk aan onderdoor en verdwenen ze in de geschiedenis, ze zouden zich nooit willen distantiëren van de Berg. Ik denk niet dat ze nu nog bestaan. Ze waren destijds al met zo weinig, en elk jaar trokken meer mannen naar de steden. De stam moet al lang verdwenen zijn.'

Ik slik. Mijn adem stokt. Wat als de stam niet verdwenen is? Wat als er naast Wilson ook nog kannibalen op ons jagen? Zijn we hetzelfde als de Berg, als een kleine blauwdruk van de oorsprong van het leven in ons hart, in een wachtkamer totdat het universele teken is gegeven dat vrijheid betekent?

Ik probeer helder te blijven, maar ik wil hier weg. Ik voel me bekeken, door meer dan de duizenden ogen van insecten, spinnen en vogels, door meer dan de kleine primaten die zich schuilhouden achter de boomstammen, hoger dan ik scherp kan zien tegen het zonlicht in. Er leeft iets op deze Berg wat nooit slaapt.

Niet alles is verloren

Olav en Konraad staan op een afstandje te praten. Hebben ze het over mij? Af en toe zie ik Konraad naar me kijken. Is dat omdat hij me in de gaten wil houden, of denken ze dat ik gek geworden ben? Ze moeten het wel over me hebben. Dat hebben ze waarschijnlijk al veel vaker gedaan, toen ik sliep.

Is het waanzinnig om Lilith achter te willen laten? Ik wil zo snel mogelijk weg uit dit kamp en proberen de weg naar de bewoonde wereld te vinden. Hoewel Konraad ontzettend labiel is, is hij degene met de meeste kennis van de jungle. Hij kan ons hieruit krijgen. Hij kan de weg vinden en er zo voor zorgen dat er nog mensen levend uit deze rampexpeditie komen. Maar hij wil niet. Hoe kom ik weg als hij de wacht houdt? Hij slaapt waarschijnlijk niet of nauwelijks.

Olav loopt weg bij Konraad en kijkt door het bladerdek omhoog. Hij ziet de felle zon, kijkt er net naast en denkt waarschijnlijk aan zijn vrouw of aan zijn kind. Aan Emre, zijn lotsbestemming. Als er iemand is die geen enkele gevaarlijke actie meer zal ondernemen, is

Olav het wel. Als er iemand is op wie ik niet kan rekenen wat Konraad betreft, is Olav het wel. Ik wend me tot Konraad.

'We moeten hier weg,' zeg ik. 'We gaan hier dood.'

Konraad kijkt me aan, trillend van woede. 'Jíj gaat hier dood, als je het er nog één keer over hebt.'

Ik heb het gehad met rustig aan doen. We moeten hier weg en ik moet Konraad overtuigen. Ik stamp met mijn voet op de grond, en dood zo een sprinkhaan, maar ik heb geen tijd om daarbij stil te staan.

'Hoe dacht je het te doen?' vraag ik.

'Ik heb al gevaarlijker situaties meegemaakt dan hier de afgelopen dagen. Ik weet van mezelf dat ik het kan, je nek omdraaien.'

Konraad kijkt me aan en ik zie dat hij het meent. 'Ik hoef alleen maar je hoofd in een houdgreep te nemen, met mijn vingers om je gezicht geklemd, en dan je nek in de tegengestelde richting van je hoofd te duwen. Misschien zegt alles in één keer knak. Misschien spartel je tegen en is het een kwestie van volhouden. Ik weet dat ik ertoe in staat ben. Hoe het met jouw moed staat hebben we al gezien. Rust uit. We gaan straks het oerwoud in om Lilith te zoeken.'

Ik kijk hem vol ongeloof aan. Zou Konraad ook maar een seconde aarzelen? Zo kalm als hij net beschreven heeft wat hij zou doen, zo kalm zou hij tot actie overgaan.

De zoemende insecten doen de lucht trillen, de

vogels azen op hun prooi in de bomen.

Ik ben niet alleen, maar Olav heeft zich omgedraaid, en is op de grond gaan zitten met zijn ogen gesloten en zijn handen voor zijn oren. Tot zover het idee om Konraad met zijn tweeën te bespringen en vast te binden om ervoor te zorgen dat onze nekken de komende nacht niet worden omgedraaid. Al vraag ik me af of Olav en ik het kunnen winnen van Konraad; hij zou elke aanval aan zien komen, zo extreem geconcentreerd kijkt hij nu uit zijn ogen. Ons speelt het gebrek aan slaap langzamerhand parten. We eten ook te weinig. We vergeten te drinken.

Ik moet me sterk opstellen, denk ik. Konraad is in de macht van de Berg, maar juist het feit dat ik nog helder kan nadenken en hij niet meer, moet me in het voordeel stellen. Ik kan hem rationeel overtreffen, dan hoeft het niet eens tot een handgemeen te komen.

'Je bent ziek in je hoofd,' zeg ik tegen Konraad, minder dwingend dan ik bedoel.

'Ga maar ergens zitten,' antwoordt Konraad.

Ik wil naar Olav toe lopen, maar dan pakt Konraad me ineens beet, in de houdgreep. Precies zoals hij had aangekondigd, voel ik zijn vingers houvast vinden in mijn gezicht.

Nee, denk ik. Niet zo.

'Ja,' zegt Raaf. 'Je wordt gestraft voor je onoplettendheid.'

'Je denkt nu,' zegt Konraad, 'hoe heb ik me zo kunnen laten verrassen?'

Ik hijg en worstel om uit de houdgreep te komen, maar Konraad is sterk en laat niet los.

'Het is zo simpel, Boas. Met een knikje is alles over.' Dan laat hij los. Hij wilde alleen laten zien dat hij het kon, denk ik. Hoe hij de persoon haat die zijn vrouw wil achterlaten in het oerwoud.

We horen de schreeuw van een neusaap. Konraad schrikt er zo van, dat hij bijna onderuitgaat. Olav rent naar ons toe; de schreeuw was zo hard dat ook hij het hoorde.

'Dat was dichtbij,' zegt hij.

Ik knik. Honderd meter? Tweehonderd meter? De takken vlak bij het kamp beginnen te bewegen. Er klinkt geritsel en gekraak. Ik zie neushoornvogels en kikkerbekken wegvliegen. We kijken alle drie naar de bewegende plek in de struiken. Dit is het moment. Dat voelen we. Maar als de planten terugbuigen, staat Osu opeens voor onze neus. De gids is terug. Niet alles is verloren.

Wat is het ergste wat er kan gebeuren?

Olav zag Sarah staan voor een schilderij in het Museo Nacional del Prado in Madrid. Hij wees op de Latijnse tekst.

'*Ipse dixit et facta sunt. Ipse mandavit et creata sunt.* Weet je wat dat betekent?'

Sarah gaf antwoord zonder zich om te draaien. 'Hij sprak en het was er. Hij gebood en zij waren geschapen.' Weer een man die haar probeerde met kennis over dit beroemde drieluik te versieren, dacht ze. Weer een onbenullige poging haar het bed in te krijgen. Ze haalde diep adem en merkte dat ze schokte toen ze de lucht uitstootte. Was het alleen de klank van de stem van deze man?

Ze draaide zich om.

'Het gaat over God die de dieren schept, denk je niet?' zei Olav met een glimlach op zijn gezicht.

Sarah keek naar hem en terug naar het schilderij en ze vergat haar cynische gedachten. Ze knikte en glimlachte, hoe ze ook haar best deed dit niet te doen. Ze stamelde toen ze praatte. 'Ben je... Wat ben je?' vroeg ze.

‘Bioloog.’

‘Bioloog en geïnteresseerd in het verhaal van de schepping?’

‘Ach,’ zei Olav en ging iets dichter bij haar staan, ‘het gaat niet zozeer om de schepping. Het zijn fascinerende tekeningen van dieren en planten.’

Sarah wees een plant aan op het linkerpaneel. ‘Welke plant is dit dan?’

‘Een drakenboom,’ antwoordde Olav. ‘Vrij goed nageschilderd.’

Samen keken ze naar de schepping van Eva uit Adam, naar het aardse paradijs, een moment in de tijd waarop de zondeval de dieren al heeft bereikt (de kat die de hagedis eet, de vogel die de kikker eet), maar de mensen nog puur zijn.

Een zeehond kruipt een donker meer uit waar een donkere gestalte een boek leest. Een driekoppige vogel pikt naar een narwal, die op zijn beurt met een lepelaar schermt. Een witte giraffe staat op een open grasveld waar in de verte een marter een hert doodt, waar een kruising tussen een hond en een kangoeroe kijkt naar de roze fontein waarin een uil schuilt (‘Wist je dat de uil vroeger het kwaad weergaf?’ zei Sarah. ‘Omdat het kwaad voor kennis stond.’) en waar herten naast een eenhoorn uit een lichte waterpoel drinken. Vogels vliegen in vormen en de bergen zijn blauw en in onwerkelijke bogen gekromd.

In het middenpaneel is overal vruchtbaarheid,

vliegt een griffioen een engel en een vliegende vis tegemoet en zijn reusachtige bloemen, vruchten en planten huizen geworden voor naakte mensen van alle rassen.

'Waarom zijn er geen kinderen en bejaarden?' vroeg Olav.

'Misschien waren die er niet in het paradijs,' zei Sarah.

'Maar zeemeerminnen wel?'

'Blijkbaar. Zie je hoe elke vrucht voor seks staat, hoe al het fruit iets symboliseert? Kijk hoe de vogels een symbool voor ontucht zijn. Of de schelp waar iemand in is gekropen. Van de hoorns en snavels van de dieren tot de mensen die zich in eieren hullen.'

Olav knikte. Alles is seks.

Hoe anders is het rechterpaneel, waar een donkere wereld wordt bewoond door angstige mensen, gemarteld door muziekinstrumenten, hun eigen uitvinding, en groot in beeld een blauwe vogelman een mens opeet uit wiens kont nog zwaluwen proberen te ontsnappen.

'De gemartelde soldaten geven afgunst weer. Ze worden gestraft,' zei Sarah.

'Is dit de hemel, de hel en wat ertussenin ligt?' vroeg Olav.

'Als dat waar is, is alles wat ertussenin ligt seks en liefde,' zei ze. 'Het lijkt wel een droomwereld waar alles een symbolische betekenis heeft, een plek voordat de watervloed komt die alles verzwelgt.'

'Laten we wat drinken,' zei Olav. Hij stond aan haar rechterkant, pal voor het schilderij van de hel.

Sarah keek naar hem en vroeg zich hardop af of ze deze gok aandurfde. Misschien was het beter weg te lopen na een fijne ontmoeting voor een mooi schilderij.

'Kom op,' zei hij. 'Wat is het ergste wat er kan gebeuren?'

Even is alles stil

Olav rent naar Osu toe en omhelst hem. Hij klemt zijn armen zo strak als hij kan om hem heen.

'Godzijdank,' zegt hij.

Misschien laat hij hem wel nooit meer los. Dat zou ik ook niet doen. Osu kijkt ernstig, maar ziet er verder goed uit. Hij straalt een gezond verstand uit. Hij beweegt als iemand die nog helder kan nadenken.

Osu duwt Olav van zich af.

'Ik breng slecht nieuws,' zegt Osu.

Konraad verbergt zijn gezicht in zijn handen.

Ik loop naar Osu toe. 'Dat komt later. We moeten nu medicijnen halen voor Danuel,' zeg ik. 'Anders overleeft hij het niet. Als we daar zijn, verzamelen we mensen die kunnen helpen zoeken naar Lilith.'

'Wat is er hier gebeurd?' vraagt Osu.

'Danuel is ziek,' zeg ik. 'We hebben medicijnen nodig. Jij en ik gaan terug om hulp te halen.'

Ik loop naar mijn tent, pak mijn regenjas, sla hem om en loop terug, klaar om te gaan. Ik kijk Osu aan. Die steekt zijn hand op, zijn handpalm naar mij gericht.

'We kunnen niet weg,' zegt hij. 'Ik breng slecht nieuws.'

Zou het de Berg zijn, die ons via Osu een boodschap brengt? Als die boodschap luidt dat we weg moeten van deze grond voordat er doden vallen, ben ik maar al te bereid om daaraan te voldoen. Ik wil dat tegen Osu zeggen, maar hij draait naar Olav toe. De uitdrukking op zijn gezicht wordt triest. 'Aan jou.'

Olav spert zijn ogen wijd open. Angst neemt bezit van hem. 'Niet mijn kind,' fluistert hij. 'Bij God, niet mijn kind.' Het duurt even voordat hij de kracht vindt hardop te spreken. 'Wat is er gebeurd?'

Osu wacht even. Hij haalt diep adem. 'Ik denk dat je even moet gaan zitten.'

'Wat is er?' vraagt Olav nu twee keer zo hard.

'Er was een bericht voor ons achtergelaten bij het hotel. Een week geleden. Ze konden geen contact met ons krijgen. Ze hebben het elke dag geprobeerd.'

'Zeg het!'

'Je vrouw heeft een ongeluk gehad.'

Osu spreekt de woorden zacht en kalm uit.

Olav wil met zijn handen naar zijn haar grijpen, maar zijn handen graaien lucht bij elkaar.

Ik weet niet wat ik moet doen. Ik weet niet wat ik moet zeggen. Konraad ook niet. Vanbinnen moet hij broeien van verdriet en woede, maar hij weet niet wat hij moet zeggen. Olav kijkt naar de grond. Volgens mij ziet hij niets meer. Hoe erg is het voor een mens om iets te verliezen wat je nog niet hebt?

'Maak je klaar voor de strijd,' zegt Raaf. 'Het wordt fysiek. Concentreer je. Kijk om je heen. Wat zie je?'

'Verslagen mensen.'

'Kijk verder. Kijk naar de omgeving. Wat is er om je heen te zien?'

Bomen die boven ons uittorenen om de macht weer te geven die deze jungle over ons heeft. Lianen die op slangen lijken en bloemen in meer kleuren dan ik ooit heb gezien. De lucht is vergeven van rottende dieren, bloemen en onze zweetlucht. Vogels roepen, takken kraken en er beweegt iets zonder te bewegen.

'Let op Osu,' zegt Raaf.

Ik kijk naar de gids. Osu kijkt naar de schade die zijn boodschap heeft aangericht. Even is alles stil.

Hij zal het niet overleven

Olav begint zo hard als hij kan te schreeuwen om een kind dat hij zo liefhad nog voor het een kind was. Om een kind dat hij verloor nog voor het een kind was. Ik hurk naast hem op de grond en sla mijn arm om hem heen. Konraad schreeuwt ook, maar dan van woede en begint alle spullen in het kamp heen en weer te smijten. Hij wil vernieling aanbrengen aan de buitenkant van zijn wereld, omdat zijn binnenkant al vernield is. Osu staat daar maar te kijken naar de chaos die zich heeft ontvouwd. Het zijn oerklanken die het kamp vullen: het geschreeuw van Olav en Konraad. Insecten verwijderen zich uit het kamp, spinnen kruipen weg uit hun web en vogels vliegen op.

Het oerwoud antwoordt al snel. De brul van de neusaap. De kikkerbekken die weer een plekje op een tak hadden gevonden, kiezen nu definitief voor het luchtruim. De bladeren ritselen. Er beweegt iets in de jungle zonder te bewegen. Ik kijk naar Osu.

'We moeten het de rest vertellen,' zegt hij.

Achter hen pakt Konraad een weegschaal en begint

ermee op de tafel te rammen. Osu en ik staan er sprakeloos naar te kijken. Olav lijkt in zijn eigen wereld opgesloten.

'We moeten het de rest vertellen,' herhaalt Osu.

Ik schud nee. 'Dit ís de rest,' zeg ik.

'Maar Danuel dan?' vraagt Osu. 'En Lilith?'

'Die is weg.'

'Ze is toch niet alleen de jungle in?' Osu kijkt naar mij. Ik knik. Dan kijkt hij naar Konraad. 'Wie laat zijn vrouw nou alleen de jungle in trekken?'

De vraag maakt Konraad nog bozer dan hij al was. Hij komt aangestormd met de weegschaal in zijn handen en gooit hem naar Osu. Die is hier niet op bedacht en het apparaat raakt hem vol in het gezicht. Osu valt achterover, terwijl de weegschaal naast hem landt. Voordat ik hem kan tegenhouden, is Konraad op hem gesprongen en al bezig met het apparaat Osu's gezicht te verbouwen.

'Stop!' schreeuw ik.

Het lichaam van Osu schudt onder elke klap die Konraad uitdeelt. Bloed spat op Osu, op de grond en op het gezicht van Konraad, waardoor zijn waanzinnige blik nog duivelser lijkt. Ik pak de weegschaal met beide handen beet en probeer Konraad ervan te weerhouden hem nogmaals op Osu's gezicht neer te laten komen.

'Ik vermoord hem!' schreeuwt Konraad. 'Laat me los!'

'Nee, alsjeblieft,' zeg ik. 'Hou op. Hij is onze gids. Hij vroeg alleen maar waar ze was.'

Konraad slaat met zijn elleboog in mijn gezicht. Ik voel hoe het bot in mijn neus de klap opvangt, en hoe bloed uit mijn neusgaten stroomt. Toch laat ik niet los. Het apparaat hangt in de lucht en wordt door vier handen vastgehouden. Konraad wil het in één allesbeslissende klap laten neerkomen op het gezicht van Osu. Ik probeer hem tegen te houden. En het apparaat beweegt niet. Stil in de lucht, omdat we geen kracht meer in ons lijf hebben. Uiteindelijk laat ik los, maar hebben ook de armen van Konraad het onder het gewicht van het apparaat begeven. De weegschaal valt naast Osu op de grond, waar ook Konraad al ligt. Ik begin te huilen.

'Hij vroeg alleen maar waar ze was,' zeg ik. Tussen de tranen en het schokken door herhaal ik de zin telkens opnieuw. 'Hij vroeg alleen maar waar ze was.'

Osu ligt bewegingloos naast Konraad. Olav zit nog steeds snikkend op zijn knieën. Ik wil hem roepen, wil hem zeggen dat hij moet helpen, dat het er nu om gaat om te overleven, nog meer dan dat eerder het geval was. Dat hij zijn verdriet moet uitstellen, omdat we hier anders niet levend vandaan komen. Maar het lukt niet. Het enige wat ik nog zie is het bloed van Osu dat de aarde in stroomt.

Het enige wat mijn gedachten nog binnenkomt is de stem van Raaf: 'Hij zal het niet overleven.'

Hij vroeg alleen maar waar ze was

Er is een kind. Er is een mens dat niet kan denken, maar wel ademt, voelt en zich voedt via een levensader waarmee hij in contact met zijn moeder staat. De levensader noemen we de navelstreng en de mens die nog geen volgroeid mens is, maar er simpelweg alleen maar is, noemen we Emre.

Emre droomt al zo lang als hij zich kan herinneren, al kan hij zich niets herinneren. Hij is de vleeswording van het zijn in het moment; er is geen andere tijd dan het nu. Hij krijgt voeding en weet niet wat honger is. Hij ademt, maar hij weet niet wat lucht is. Hij weet niet wat woorden zijn en waarom we voor elk woord een betekenis hebben gevonden, of voor elke betekenis een woord.

Dromen is alles wat hij doet, terwijl hij zwemt of zweeft in water dat hij nauwelijks kan voelen. Emre droomt van een gezicht waarvan hij niet weet dat het een gezicht is. Het is zijn vader, de andere stem die hij hoort gonzen in de ruimte om zich heen (is het een ruimte? is het niet alles wat er is?).

De ongeboren zoon droomt van zijn vader.

De eerste minuten na de verwondingen aan zijn moeder heeft Emre niet door. Zoals altijd vormen zich kleuren, wazen en sferen in een oneindig zijn waarnaar de jongen langzamerhand begint te verlangen. Als er een keuze is voor de ongeboren mens om wel of niet geboren te worden, heeft Emre die gemaakt. Hij weet niet wat er komen gaat, hij weet niet wat het leven brengt (noch dat er iets als leven is, dat de onvermijdelijke dood in zich draagt als een vrouw een kind), maar hij droomt van een zijn waarin hij beweegt omdat hij wil bewegen, waarin hij geluiden maakt en hoort, beelden maakt en ziet. Het zijn deze verlangens die hem omgeven als zijn moeder voelt dat ze het gevecht met de dood aan het verliezen is.

Ze huilt om hulp zonder tranen. Schreeuwt zonder woorden dat iemand haar kind moet redden.

Twintig minuten gaan voorbij. In die twintig minuten wordt Emre keihard uit zijn droom gerukt. Hij wil huilen, maar kan het niet. Hij wil geluid maken, maar kan geen geluid maken. Hij wil ademen, maar kan niet ademen. De levensader die hem met zijn moeder verbindt is aangetast, omdat zij is aangetast. Ze sterft, en voordat hij ook het leven laat, sterft zijn droom al van verdriet. Nooit een moeder hebben om mee op te groeien. Nooit een borst om uit te drinken.

Emre denkt niet, maar toch is dit alles wat hij denkt als hij in twintig minuten het leven laat, het leven waaraan hij nog niet eens was begonnen.

Als zijn koude lichaam door zijn grootouders in een kist wordt gestopt en de kist voorzichtig in de grond zakt, klinkt in de lucht de echo van een schreeuw die zijn vader dagen later uit, als hij hoort van zijn zoon.

En in de laatste tonen van zijn schreeuw klinken mijn woorden aan Konraad door en mijn besef dat alles nu verloren lijkt voor Olav: 'Hij vroeg alleen maar waar ze was.'

Hij had grapjes over kannibalen gemaakt

De Berg wil van zijn indringers af. We zijn als een virus, een infectie. Het zit in de natuur van de Berg om ons te bestrijden.

Ik word wakker. Bladsprietkevers kruipen over mijn lijf. Het beeld dat voor mijn ogen opdoemt als ik ze opendoe, is het beeld dat ik zag voordat ik flauwviel: de grond doorweekt met het bloed van Osu. Langzaam is het vocht in de aarde getrokken. De lucht heeft een andere kleur. Het is avond. De jungle klinkt. Osu is nog steeds bewusteloos. Hij ademt wel. Als ik geen hulp voor hem haal, gaat hij dood. Ik zie niemand. Geen Konraad. Geen Olav. Zouden ze de jungle in zijn gevlucht? Zouden ze elkaar iets hebben aangedaan? Ik probeer op te staan. Het gaat moeizaam. Mijn hoofd bonkt. Mijn spieren zijn slap. Mijn maag rommelt. Ik wil eten. Ik wil drinken. Ik wil slapen. Maar dit is niet het moment om te rusten. Ik veeg de spinnen en insecten van me af en ik sta op. Overal pijn, maar ik sta op.

Danuel, denk ik. We zijn vergeten naar Danuel te kijken.

Ik loop naar zijn koepeltent. Ter hoogte van de barak sta ik stil. Daar ligt de afgesloten bak waar Lilith de Heer van de Vliegen in heeft gestopt. Eigenlijk moet ik bij Danuel gaan kijken, maar ik voel een vreemde aantrekkingskracht van de bak vandaan komen. Er komt geen licht uit, niet de rode gloed in zijn ogen die ik eerder wel zag, maar ik kan de bak niet zomaar voorbijlopen. Ik moet hem even aanraken. Ik moet het insect zien. Ik moet zien wat alles de vernieling in heeft gestuurd. Om het te begrijpen. Misschien dat als ik het insect zie en misschien als ik het even vasthoud, ik het dan zal begrijpen. Waarom het nu gaat zoals het gaat. De verdwijningen. De onrust bij iedereen. De krankzinnigheid die toeslaat. Gewoon even de bak aanraken en weten dat het insect daaronder zit. Dan kan ik weer verder naar Danuel. De bak is nog afgesloten. Voorzichtig open ik de deksel en doe een stap terug. De bak is leeg. Is de steeloogvlieg nog in de buurt?

'Kijk wat je doet,' zegt Raaf. 'Kijk wat je aan het doen bent. Je zoekt een verklaring voor je gekte.'

'Het insect heeft ons gek gemaakt. We moeten gestoken zijn. Het is een virus. We worden er allemaal krankzinnig van. Misschien was het de spinnenbeet bij mij, of de slang.'

'Kom op, Boas. Je bent een weldenkend mens. Geloof je nu echt in die onzin?'

'Ik geloof wat ik zie,' zeg ik.

'Je hebt het nog altijd tegen jezelf.'

'Hou op,' zeg ik en ik sla met mijn handen in mijn gezicht. Het voelt verfrissend. Ik doe het nogmaals. Het helpt. Raaf lijkt me met rust te laten.

Ik moet kijken hoe het met Danuel is. Ik loop verder naar zijn tent en zie Olav voor de opening op de grond zitten, twee sprinkhanen in duel op zijn bezwete rug. Zijn blik houdt het midden tussen verslagenheid en onverschilligheid.

'Hij is dood,' mompelt hij.

'Jezus,' zeg ik.

'Die helpt niet,' zegt Olav.

Ik kijk hem aan. Ik weet niet wat ik moet zeggen. Er zijn geen woorden voor dit soort momenten. Die moeten nog gemaakt worden. Maar dat kan alleen door mensen die zich in dit soort momenten bevinden. En die willen geen woorden maken. Die willen de dood ongedaan maken. Ík wil de dood ongedaan maken. Van Danuel. Van Emre. Van Lilith, die vast ook dood is. Van Osu, die het niet zal overleven. Net zoals wij.

Olav blijft stilzitten. Ik draai me om en loop terug naar Osu. Als ik langs de bak met het insect kom, draai ik mijn hoofd de andere kant op, zodat ik niet hoef te kijken. Bij Osu ga ik op de plek zitten waar ik eerder wakker werd. Als de Berg van plan is ons stuk voor stuk te vermoorden, heeft het dan nog zin om logisch na te denken? Voor Danuel heeft het weinig zin gehad. Als een van ons nog lang genoeg helder kan blijven, laat hij dan een manier vinden om hier weg te komen. En op dat moment begin ik te bidden. Ik heb nog nooit gebeden, maar nu bid ik tot de God van de Jungle. Laat mij het zijn. Laat mij degene zijn die een plan verzint om terug naar de bewoonde wereld te komen. Weg van deze Berg.

'Je zult wel meer doen,' zegt Raaf.

'Hou op,' zeg ik, terwijl ik schop naar een gekko die dichtbij durft te komen.

'Wie moet er ophouden?' klinkt het achter me.

Ik kijk om en daar staat Olav, met een verbanddoos in zijn hand.

'Niets,' zeg ik. 'Help je me?'

Samen verbinden we de hoofdwonden van Osu. We proberen hem zo min mogelijk te verplaatsen. We proberen hem zelfs zo min mogelijk aan te raken.

'Dit redt hij niet,' zegt Olav.

'Laten we hem verzorgen tot hij sterft en hem dan begraven. Laten we niet allemáál beesten worden.'

Olav knikt. Ik zie hem de woorden in zichzelf herhalen. Laten we niet allemáál beesten worden. We kijken elkaar aan. Als een van ons het lef had, zou hij zeggen dat we hier samen weg kunnen komen. Samen hebben we de beste kans. Maar voor ik iets kan zeggen, begint Olav te praten.

'Het is mijn eigen schuld,' zegt hij. 'Ik heb het zelf gedaan.'

Olav buigt zijn hoofd. Er ontstaan opnieuw tranen in zijn ooghoeken. Het zal het weinige water zijn dat hij nog overheeft. 'Toen we in de jungle waren,' zegt Olav, 'toen heb ik gebeden tot de Berg.'

Ik schrik.

'Ik heb gebeden,' zegt hij, 'tot de Berg toen we de neusapen zagen zitten. Toen we Wilson in zijn groep zagen bewegen. Ik zag de perfectie voor me. Ik dacht het nooit te zullen zien. Niet van zo dichtbij. Niet met zo veel leven, zo veel passie en hartstocht in zijn ogen. Ik kon me niet beheersen. Ik heb gebeden met de vraag of mijn eigen zoon ook zo perfect kon zijn. Ik heb het zelf gedaan.'

'Dat heeft toch niets te maken wat er is gebeurd? Het is verschrikkelijk, maar als we ons hoofd er niet bij houden, overleven wij het ook niet. En denk je niet dat je vrouw zou hebben gewild dat je het zelf overleeft?'

Olav schudt zijn hoofd. 'Geen vrouw, geen kind. Als ik cement en bakstenen had, zou ik een muur bouwen en mezelf ertegenaan zetten om te laten executeren. Ik kan dit niet. Niet zo. Niet zonder hen.'

'Alsjeblieft, Olav.'

Hij schudt zijn hoofd.

'Het spijt me, Boas. Ik zie het nut er gewoon niet meer van in.' Hij staat op en loopt weg.

Ik kijk hem na. Dan sta ik ook op en loop achter hem aan. 'Olav,' zeg ik, maar hij luistert niet. 'Het heeft allemaal met elkaar te maken, Olav. Het houdt allemaal verband met elkaar. De vreemde blik van de apen. De vreemde blik van Wilson. De gloed die we zagen in Liliths insect. De fascinatie die ze had. De fascinatie die Konraad had voor Wilson...'

Olav stopt met lopen. 'We zijn allemaal gefascineerd door Wilson,' zegt hij.

Ik praat tegen zijn rug. 'Liliths insect is ontsnapt. Iemand heeft hem vrijgelaten. Ik denk dat dat het rare gedrag verklaart. Ik denk dat iedereen gestoken is. Alleen wij zijn nog normaal.'

'Ik wil het niet weten, Boas. Ik kan dit niet. Niet zonder hem.'

'Maar ik kan het toch ook niet alleen oplossen?' vraag ik.

Even is het stil.

'Olav...'

'Nee!' schreeuwt hij. 'Mijn zoon is dood! Hij was er nog niet eens en hij is al dood! Weet je hoe dat in zijn werk gaat, de laatste minuten van je leven, als je geen voeding en zuurstof meer krijgt van je moeder? Alles wat hij nodig heeft om te leven kreeg hij continu, en opeens wordt de kraan dichtgedraaid. En dan stikt hij. Hij is gestikt in de buik van zijn moeder. Kun je je een ergere dood voorstellen? En het is allemaal mijn schuld! Hoe denk je dat dat voelt? Daar heb je geen antwoord op! Dus hou op met dat gepraat over dat het goed komt of dat we een plan moeten verzinnen om door te gaan! Want ik wil niet meer. En wat jij doet moet je zelf maar weten. Maar voor mij heeft het geen zin. Ik heb hier geen zin meer in. Alles waarvoor ik leef is me afgenomen, omdat ik zelf de regels heb overtreden die de Berg heeft gesteld. Wat denk je dan?'

'Ik denk dat je gek bent geworden,' zeg ik.

'Weet je? Ik denk het ook. Maar ik kom er tenminste voor uit. En ik heb een reden om me te gedragen zoals ik me gedraag. Jij en de rest zoeken naar een excuus om hier als beesten tekeer te gaan. Alles wat jullie kunnen aanpakken, praten met dieren, vreemde insectenbeten, gebruiken jullie om al jullie lusten los te laten. Vergeet niet dat jij hier het gekst van allemaal bent! Denk je dat we je niet hebben horen praten tegen jezelf? Waarom ben je hier eigenlijk?'

'Mijn vader... Ik wilde niet...' Langzaam loop ik terug naar Osu. 'Ik kan niet met je praten.'

'Straks sta jij er helemaal alleen voor,' zegt Olav. 'Kijken wie er dan gek is.'

Ik negeer de woorden van Olav en ga naast Osu op de grond zitten en kijk naar de kapotte weegschaal, besmeurd met het bloed van de enige persoon die me hieruit kan halen. Een duizendpoot steekt zijn kopje naast de radertjes naar buiten. Nog altijd ademt Osu. 'Niet doodgaan,' fluister ik hem toe. 'We hebben je nodig. Je hoeft niet meteen beter te worden, als je maar bij bent om ons de weg te wijzen. Dan komen we terug voor jou, zoals je terugkwam voor ons.'

Tranen schieten in mijn ogen. 'Het spijt me dat je terugkwam voor ons,' zeg ik tegen het bewusteloze lichaam. 'Het spijt me.'

Ik blijf net zo lang naast de gids zitten tot ik te moe word om te zitten. Dan ga ik naast hem liggen en leg mijn hand op zijn buik. Ik voel zijn buik lichtjes op en neer bewegen. 'Even volhouden nog,' zeg ik.

Ik voel de zweetdruppels op mijn voorhoofd. Wilson is hier niet. Het angstzweet stroomt over mijn lichaam. Mijn ogen knijp ik stijf dicht om niet te denken aan Olav en zijn verdriet, of aan waar Konraad en Lilith nu zijn. Wanneer Konraad terugkomt. Wat hij doet als we hem onder ogen komen. Ik strek mijn benen. Misschien ligt hij wel op de loer om ons allemaal te vermoorden. Misschien heeft hij Lilith nooit gevonden en zal hij ons nooit meer vinden. Misschien is hij wel dood.

Ik wil niet slapen. Ik voel hoe mieren over mijn handen kruipen en ik doe niets om ze tegen te houden. Een kleine steeloogvlieg landt op mijn schoen, een schorpioen kruipt over Osu's buik naar de spinnen die zich een weg naar zijn mond zoeken.

Ongeveer een week geleden vertelden Osu en Yong verhalen over hun zoektochten door de jungle naar een boom die het begin van alle leven zou zijn. Ze hadden het over de Berg gehad. Konraad had gelachen. Hij had grapjes over kannibalen gemaakt.

Behouden vaart

Ik droom dat ik in een inrichting zit, in een loszittende pyjama, en dat er een telefoon naast me ligt. Er staat een dokter naast me die kalm naar me knikt om haar goedkeuring te geven, zoals dokters dat leren op de opleiding. Knikken naar de patiënten, dan hebben ze het gevoel dat je ze begrijpt. Zonder de situatie absurd te vinden, bel ik met mijn moeder.

– Mam?

– Dag, Boas. Je vader komt bijna thuis. Als je even wacht, vraag ik of hij je terugbelt.

– Ik wil hem niet spreken, ik wil jou spreken. Je hoeft het niet te begrijpen, mam. Je hoeft alleen maar te luisteren. Het moet nu. Ik zit op een berg, mam. In de jungle van mijn hoofd, tussen witte ruimten die ik aanzie voor groene lianen. Ik ben zo ver het oerwoud in gelopen dat ik de weg terug niet meer weet. De enige die dat weet, het enige deel van mij dat nog weet hoe ik hieruit moet komen, ligt dood te bloeden op de grond. Alles om me heen is groen, behalve het gras onder Osu, mijn enige hoop op redding. Als hij sterft, kan ik hier nooit meer wegkomen. Ik weet dat ik op goed geluk een richting kan kiezen en zelfs in bomen kan klimmen om te kijken of ik iets zie, maar de kans dat ik hier op eigen gelegenheid uit kom is nihil. Ik heb hulp nodig en ben bereid die hulp te accepteren. Hoor je me? Wat er ook nodig is, ik zie de chaos waar ik mezelf in heb gewerkt en ik begrijp het immense offer dat nodig is om terug te keren. Snap je wat ik bedoel?

– Nee, jongen. En we kunnen je niet helpen, omdat wij jouw jungle niet kennen. Je moet het helemaal zelf doen.

Hopeloos. Ik hang op en bedenk dan dat de laatste uitspraak van mijn moeder alles is wat ze me wilde vertellen. Ik zal haar stem waarschijnlijk nooit meer horen. De klank zal ik missen, de inhoud niet.

Ik draai het nummer van mijn vader. Het gesprek is eerst zakelijk, dan praten we even over biologie; de manier waarop mijn vader en ik over niets praten. Dan zeg ik dat ik hem iets moet vertellen.

– Slik je je medicijnen nog?

– Ik slik mijn medicijnen en de dokter staat naast me.

– Mag ik hem even spreken?

– Het is een vrouw en we vinden het allebei belangrijk dat ik je dit zelf vertel.

– Dat je me wat zelf vertelt?

– Ik ben ziek, pa. In mijn hoofd. En ik heb mezelf

heel diep in de nesten gewerkt, zo diep dat ik bijna de bodem heb bereikt. Ik zeg bewust bijna, want ik moet nog verder vallen. Als het anders kon, zou ik het anders doen, maar er valt hier iets te halen. Weet je nog dat we vroeger op zoek gingen naar de pot met goud aan het einde van de regenboog? Hier ligt een soortgelijke schat, op de bodem van mijn bewustzijn. En als ik nog leef als ik daar aankom, dan kom ik nooit meer bij jullie terug. Wat ik alleen wil, is dat jullie vóór die tijd weten dat ik van jullie hou.

– Dank je, jongen. Wij ook van jou. Behouden vaart.

Zelfs aan de manier waarop hij loopt

Als ik wakker word, denk ik aan Olav. Waarom heb ik niet de wacht bij hem gehouden? Ik spoed me naar zijn tent. Het tentzeil staat open. Olav ligt op de grond. Ik zie vliegen en mieren over hem heen kruipen, de staart van een duizendpoot is nog net zichtbaar in zijn mond. Rond hem liggen verschillende medicijnen uit de medicijnenkist. Zijn ogen zijn naar de hemel gericht. Hij heeft een vreemde uitdrukking op zijn gezicht. Alsof hij nog iets wilde zeggen. Alsof hij op het randje van de dood stond en hem opeens iets te binnen schoot wat zo belangrijk was dat hij het nog moest achterlaten. Maar ik heb niets gehoord. Als hij het al heeft gezegd, was het te zacht om me te bereiken. Wat zijn zijn laatste gedachten geweest? Ik kijk het kamp rond. Konraad is nog steeds niet terug. Langzaam loop ik naar Osu toe, die nog op dezelfde plaats ligt. Naast hem ligt de kapotte weegschaal. Ook op hem krioelt het nu van de insecten. Nu ben ik bijna alleen. Hij ademt nog. Een wonder. Ik probeer een manier te bedenken om hem mee te slepen. Maar zelfs als hij dat overleeft, zal hij medicijnen nodig hebben. En is hij nog steeds buiten bewustzijn. Godverdomme. Mijn pogingen om hem op mijn rug te tillen falen. Ik kan hem niet meenemen.

De gekte, zei mijn vader, *is een oplossing voor alles. De waanzin wordt door mensen onder luid gejuich omarmd.*

Ik ga naast Osu zitten en begin te huilen. Om de afgelopen dagen, om wat er allemaal is gebeurd, maar vooral om wat komen gaat. Om wat ik moet doen. In het kamp blijven is gevaarlijk. Misschien hangt de Heer van de Vliegen hier nog rond. Voor ik het weet zal ik zelf gestoken worden en zal de dood van Danuel de mijne zijn. Dat mag ik niet laten gebeuren.

Ik veeg mijn tranen weg en loop terug naar mijn tent. Ik pak mijn rugzak en begin de noodzakelijke dingen in te pakken. Een kompas, een horloge. Vervolgens ga ik de andere tenten langs om te zien wat ik nog kan meenemen. Medicijnen die Olav heeft overgelaten. Een mes van Osu. Eten. Water. Nu moet het mogelijk zijn. Ik loop terug naar Osu. Elke voetstap voelt zwaar. Elke keer lijkt de aarde te bewegen als de zolen van mijn schoenen de grond raken. Het oerwoud begint lawaai te maken. Het begint op te leven. De waanzin is nabij. De Berg zal tevreden kunnen zijn.

'Je kunt tevreden zijn!' roep ik. 'We zijn allemaal gek geworden! En we zijn bijna allemaal dood!'

Bijna.

'Wat doe je?' vraagt Raaf.

'Het enige wat ik kan,' zeg ik.

'Hou op. Hier ben zelfs jij niet toe in staat.'

Ik denk aan de woorden van Konraad als ik uit mijn tent de steen pak. 'Ieder mens is hiertoe in staat.'

Ik kniel naast Osu neer en probeer de steen op te heffen. Opeens is hij loodzwaar. Met al mijn kracht weet ik hem in de lucht te krijgen. Verbeeld ik het me of zoemt en trilt hij? Hoor ik kinderstemmen juichen?

Zonder iets te zeggen kan ik niet verder. 'Beste Osu. Weet je hoe alles anders kan lopen, ook al staat het al in de sterren geschreven? Het spijt me, Osu, maar je gaat dood. En er zijn een heleboel manieren om te sterven. Stikken. Je nek breken. Aan een oerwoudziekte bezwijken. Te pletter vallen. Verscheurd worden door dieren. Ik zal proberen het bij jou zo pijnloos mogelijk te maken.'

Ik laat de steen zo hard als ik kan neerkomen op zijn hoofd. Het oerwoud antwoordt in oorverdovend kabaal. Vogels vliegen op en in de verte brullen de neusapen. Ik negeer het en til de steen opnieuw op om de slag te herhalen. En nog eens. En nog eens. Net zo lang tot ik er absoluut zeker van ben dat hij dood is. Dan laat ik de steen vallen, veeg het zweet van mijn voorhoofd en kijk naar het verbouwde gezicht. Hij moet zo'n beetje alle botten in zijn hoofd gebroken hebben. Een massa van bloed loopt uit de gaten die ik in Osu's gezicht heb geslagen. Het is gebeurd. Ik leg de steen op een van de inkepingen die ik in zijn schedel heb gemaakt. De Berg zal de symbolische grafsteen waarderen, denk ik. Nu kan de tocht naar huis beginnen.

'Het komt nu ook goed,' zeg ik hardop tegen mezelf. 'Niet voor hem. Alleen voor mij.'

'Wat heb je gedaan?' vraagt Raaf. 'Wat heb je in vredesnaam gedaan?'

'Het is mooi hoe het samenkomt. De Berg zal het een goed teken vinden.'

'Nee, Boas. De Berg zal je niet waarderen omdat je iemand doodslaat. De Berg wil dat je vecht, niet tegen onschuldigen maar tegen de waanzin en de personificatie ervan.'

'Wie is dat dan?'

Raaf antwoordt niet.

'Het spijt me,' zeg ik. 'Ik ben misschien wel gek geworden.'

'Dat ben je zeker,' antwoordt Raaf. 'Nu ben je helemaal alleen.'

Dat is waar, bedenk ik. Nu is er nog maar één.

'Je gevecht komt nog,' zegt Raaf.

Ik sta op. Uit het zijvakje van mijn rugzak pak ik het kompas. Als ik naar de voet van de Berg loop, kom ik uiteindelijk bij een dorpje uit. Ik haal adem. Waarom halen mensen nog een keer adem voor ze ergens aan beginnen wat niet in één ademteug kan worden bereikt?

Ik begin met lopen. Ik hak met mijn mes de lianen en bamboe weg die voor me opdoemen. Weg van het kamp, in zuidelijke richting. Ik ben alleen. Ik heb niemand om mee te praten of om aan te vragen of mijn plan goed is. En hoe langer ik loop, hoe meer ik me ervan bewust word dat ik alleen ben. De jungle zit vol geluiden. Ik hoor voortdurend dingen ritselen. Ik stop en kijk voor me op de grond. Ik zie een plant van de vlinderbloemenfamilie. Ik zie een snijdervogel, geel met grijs en met oranje-witte poten, wegrennen over de grond.

Eerst besluit ik nog om niet om te kijken. Wanneer je daaraan begint, is er geen houden meer aan. Maar er zijn constant geluiden om me heen. Ik besluit om telkens tien minuten door te lopen en dan een keer achterom te kijken. Dat is bijna ondraaglijk om vol te houden, dus besluit ik elke tien minuten twee keer achterom te kijken. Dat worden drie keer, en de tien minuten worden al snel vijf minuten. Al snel kijk ik voortdurend om me heen. Ik heb wel een kompas bij me, maar ik weet niet of ik de juiste weg heb gekozen. Ik herken niets om me heen. Het is allemaal een groen waas. Het is allemaal oerwoud.

'Je bent verdwaald,' zegt Raaf.

'Hou je kop!'

'Je bent verdwaald.'

'Waarom praat je met me?'

'Omdat jij dat wilt. Je bent bang dat er iemand achter je aan zit. Denk je dat Konraad komt? Of Lilith?'

'Misschien.'

'Denk je dat Wilson je in de gaten houdt?'

Even ben ik stil. Ik denk na. Ik stop met lopen. Ik vergeet zelfs het zweet van zijn voorhoofd te vegen, zodat het omlaagstroomt en in mijn ogen prikt. Even denk ik dat het een insect is dat me in mijn oog heeft gestoken en raak ik in paniek. Wild om me heen zwaaiend probeer ik mezelf tot kalmte te manen.

'Een beladen onderwerp,' zegt Raaf. 'Maar ook een dat je niet begrijpt. Het is belangrijk dat je leert los te laten wat je niet kunt beïnvloeden, dat je leert te accepteren dat de zaken gaan zoals ze gaan. Er is iets in beweging, iets komt jouw kant op.'

'Hou je kop!' schreeuw ik weer en ik begin verder te lopen door de jungle.

'Je denkt dat alles wat er gebeurd is wordt veroorzaakt door een neusaap met goddelijke krachten. Je hebt net de enige persoon die de weg uit de jungle weet gedood.'

'Hij zou het niet overleven.'

'Je hebt zijn hersens ingeslagen. Dat vergt veel van een mens.'

'Stop!' zeg ik, maar Raaf heeft gelijk. Vanbinnen huil ik om het duistere hart van de mens. Zijn we mensen, dieren of beesten?

'Als Konraad en Lilith terugkomen in het kamp, vinden ze de lijken van Danuel, Olav en Osu. De enige die ontbreekt ben jij.'

'Wat denk je dat ze denken?' vraag ik aan Raaf. 'Konraad is gek geworden. Hij zal niet denken dat ik dat allemaal op mijn geweten heb.'

'Misschien juist wel. Juist omdat hij gek is geworden, denkt hij vreemde dingen. Daarom doe jij ook de hele tijd zo onhandig. Het kamp verlaten. Osu was al bij een dorp geweest en teruggekomen. Als gids moet hij ervoor hebben gezorgd dat er later ook anderen komen.'

'Dat weet je niet!'

'Ik ben jou, Boas. Ik weet alles wat jij weet. Hij is niet zomaar met jullie meegekomen. Hij was de meest ervaren gids die jullie konden vinden. Je bent niet weggegaan uit het kamp om te proberen bij een dorp aan te komen. Je bent weggegaan omdat je weet dat er mensen zullen komen zoeken en omdat je bang bent veroordeeld te worden voor moord.'

'Dat is niet waar! Wie heb ik dan vermoord?'

'Jij hebt iedereen vermoord van wie de lijken nu in het kamp liggen. Dat is waar je bang voor bent! Waarom zou je anders de jungle in trekken? Je weet dat je het niet zult overleven. Ik kan niet liegen, Boas.'

'Je kunt ook niets bewijzen,' zeg ik.

'Net zoals je niet kunt bewijzen dat die jongen van de scouting het nu goed maakt. Maar als je in je hart kijkt, weet je wel hoe hij eraan toe is. Denk aan hoe je vader keek toen je die avond thuiskwam.'

Raaf kan wel liegen, denk ik. Hij kan alles wat ik ook kan. Hij is alles wat ik ook ben. Is hij de duivel?

Een moordenaar, zei mijn vader, *herken je aan alles. Zijn ademhaling, zijn blik. Zelfs aan de manier waarop hij loopt.*

Ik moet oppassen

Ik heb een geluid gehoord. Zonder mijn hoofd te bewegen, zoek ik naar de oorsprong. Links niets. Rechts niets. Voor me niets. Zou het achter me zijn? Zou Wilson zich verstopt hebben, zijn leger aan neusapen op de achtergrond paraat hebben, en is hij zelf als spion op me afgekropen om me te bespringen? Als ik me niet omdraai, zie ik niet wat er gebeurt. Als ik me nu opeens wél omdraai, kan dat opgevat worden als een teken van agressie. Door Wilson of wie of wat daar ook mag staan.

Ik besluit me om te draaien. Heel langzaam. Ik concentreer me tot het uiterste. Het moet een bijna onzichtbare overgang worden van de ene kant naar de andere. Ik zoek nog steeds zonder mijn hoofd te bewegen naar dat wat het geluid heeft gemaakt. Het was een grommend, knarsend geluid. Wat geritsel van bladeren op de achtergrond. Een paar takken die braken. Maar vrijwel elk dier dat hier is kan dat geluid maken. Als Olav of Danuel hier was, had hij geweten welk dier het was geweest.

Dan wordt het stil. Het was niets.

Een vlieg probeert mijn mond in te vliegen. Ik krijg bijna geen adem meer. Ik ben een moordenaar. Niet per ongeluk of in een vlaag van verstandsverbijstering. Nee. Berekenend heb ik Osu vermoord. Ik heb Olav alleen naar zijn tent laten gaan en heb geen hulp gezocht voor Danuel. Maar ze geloven me nooit als ik vertel van de steeloogvlieg van Lilith. Wat als ik vertel van Wilson? Van de Berg? Ik moet een boom vastgrijpen om ervoor te zorgen dat ik niet onderuitga. Wat als Konraad al hulp is gaan zoeken? Wat als hij al hulp heeft gevonden en terug in het kamp is geweest? Wat als hij nooit ver weg is gelopen? Dan achtervolgt hij me nu en staat hij achter een boom af te wachten wat ik nu zal gaan doen.

'Wil je soms proberen hem voor te blijven?' vraagt Raaf.

'Ik móét hem voor blijven,' zeg ik. 'Ik mag hem niet laten weten dat ik weet dat hij me volgt.'

'De Berg laat jullie nooit gaan.'

Ik negeer hem en begin weer te lopen. Af en toe kijk ik op het kompas. Af en toe pak ik wat drinken uit mijn rugzak. Maar zo red ik het niet. Ik moet op zoek gaan naar vruchten. De exemplaren die niet door insecten worden overwoekerd tenminste, maar zijn ze eetbaar? Een doodgewoon mens zou in het tropisch regenwoud van honger of vergiftiging kunnen sterven. Een bioloog weet welke planten eetbaar zijn en welke niet. Ik weet het niet precies.

Ik moet een manier verzinnen om de buitenwereld uit te leggen wat er allemaal is gebeurd in het kamp zonder dat ik de schuld krijg. Ik moet ervoor zorgen dat ze niet denken dat ik waanzinnig ben geworden en me in een of ander gesticht stoppen. Gelukkig heb ik nog even voor ik aankom in de bewoonde wereld.

Er is ook nog het hier en nu. Wat betekenen alle geluiden om me heen? Is er iemand die me achtervolgt? Als dat zo is, kan het alleen Konraad zijn. Ik heb dus twee mogelijkheden: ik kan de weg volgen die ik voor mezelf heb uitgezet, of ik kan wachten op Konraad. Ik denk na zoals een man die voor twee deuren staat. Neemt hij de linkerdeur of de rechter? Kiest hij voor de goede kant of voor de kwade?

Ik zie de boomtoppen boven me. De Phyllocladus valt op omdat hij dertig meter hoog kan worden. Dat is een goede boom om me schuil te houden. Er zitten veel vogels en halfaapjes in. Lori's heten ze. Schuwe beestjes. Ze kunnen bijten en krabben. Ik moet oppassen.

Het is totaal zinloos

Ik struikel over takken. De halve insectenpopulatie van het eiland lijkt in mijn mond te willen vliegen. Zo voelt het terwijl ik me een weg door de jungle baan.

Van dichtbij hoor ik de neusapen. Grommende geluiden, die klinken alsof ze uit de oerdiepten van de aarde komen, uit diepe grotten waar niemand in wil afdalen. Geluiden die nog nooit het daglicht hebben gezien. Het klinkt als een oerbegin van een taal.

Het oerwoud antwoordt. Als een diepe ademhaling ritselen de bladeren overal om me heen en hoor ik daarna een allesverwoestend geluid, gemaakt door elk levend wezen dat zich in de jungle begeeft. Kikkerbekken, sprinkhanen, apen, de Bengaalse tijgers, de lori's – iedereen schreeuwt. Het oerwoud leeft. Als een groot organisme heeft het geantwoord op de vraag van de Berg waar ik me begeef.

Ik begin weg te rennen. Zinloos. De apen zijn sneller dan ik. Dat weet ik. Ik ren toch. Ik ren zo hard als ik kan, ook al was ik net totaal buiten adem en voel ik ook nu het eten in mijn maag weer omhoogkomen.

Spugend en hoestend en huilend ren ik door. De achtervolging lijkt nog niet te zijn ingezet. Misschien willen ze dat iemand het verder vertelt. Dat is mijn enige redding. Dat ze mij niet willen vermoorden. Anders kom ik hier nooit meer weg. Ik klauter over grote wortels en bomen en zie dan de Liwagurivier voor me opdoemen. Vier à vijf meter breed, woest stromend.

Er springt een bruine kikker voor mijn voeten weg. Wil ik weten wat er in de rivier leeft? Ik heb geen keuze. Ik duik het water in. Ik hoop dat de slangen en varanen vandaag een dagje vrij hebben genomen van hun carnivorenbestaan. Ik word meegesleurd door de stroom. Ik probeer de drijvende boomstammen en takken te ontwijken en naar de overkant te komen. Twee keer ben ik er dichtbij, maar raakt iets me. Ik voel iets langs mijn benen bewegen. Iets harigs. Ik zie een laaghangende tak en pak die beet. Met alle kracht die ik in me heb trek ik mezelf omhoog uit het water en klim op de tak. Daarna klim ik naar de boomstam en laat ik me op de grond zakken. Ik ben de Liwagurivier overgestoken. Zonder uit te rusten ren ik verder.

Ik voel de adrenaline nu zo zwaar door mijn lichaam pompen, dat ik meer kracht in me lijk te hebben dan ik ooit heb gevoeld. Het voelt alsof ik de wereld aankan en ik ren almaar door.

'Het lukt!' roep ik.

'Niet te hard van stapel lopen,' zegt Raaf. 'Je bent er nog niet!'

'Dat weet ik, maar om zo ver te komen...'

'Je hebt nog zo ver te gaan.'

'Ik had al niet gedacht het tot hier te redden.'

'Wees dan verstandig en neem op tijd pauze,' zegt Raaf.

'Sinds wanneer wil jij opeens dat ik het red?'

'Hoe ver je ook rent, hoeveel rivieren je ook overzwemt – ze komen je halen.'

Hij heeft gelijk. Ik denk na.

'Is dat verstandig?' vraagt Raaf. 'In de bomen klimmen uit angst voor apen?'

'Hou je bek!' schreeuw ik. 'Het gaat goed!'

Ik zie een tak op een meter of acht van de grond.

Als Konraad of Wilson op me jaagt, ben ik waarschijnlijk het veiligst in de bomen. Ik loop naar de dichtstbijzijnde Phyllocladus die me stevig genoeg lijkt. Even voel ik aan de bast. Die moet me kunnen houden. In andere bomen zitten gibbons. Gelukkig eten ze alleen fruit en bladeren. Ik veeg de bladsprietkevers, neushoornkevers en een vliegend hert weg. De rest zal ik onderweg moeten aanpakken. Nu was ik vroeger geen groot kampioen boomklimmen, maar dit exemplaar heeft genoeg takken links en rechts, voor en achter om makkelijk langs omhoog te klimmen. Althans, dat dacht ik. Maar niets op deze expeditie gaat makkelijk. De ene na de andere tak begeeft het onder mijn gewicht en pas twee uur later heb ik op zo'n vijf meter hoogte een tak gevonden die me kan houden en waarop ik stabiel kan blijven zitten. Ik maak mijn broekriem los en bind die vast aan de boomstam. Dan steek ik mijn arm door de lus, zodat ik tenminste niet doodval. Vervolgens wacht ik af. Op Konraad. Op Lilith. Op Wilson. Op wat het dan ook is dat me achtervolgt. Ik zal het opwachten. Ik zal het doden. Ik grijp in mijn rugzak naar het mes en houd het vast met de arm die door de lus van mijn broekriem tegen de boom aan wordt gedrukt. Als Konraad denkt dat hij me zomaar kan afmaken, heeft hij het mis.

Naast me zie ik een gekko. Hij klampt zich vast, zoals ik dat ook heb gedaan.

Ik kijk naar boven, zie de zon ondergaan. Ik leg mijn hand op de boomstam, in een poging me te verbinden met de Phyllocladus. Ik voel niets: niet de gedroomde hartslag van het oerwoud of de kennis die alle verbonden dingen in de wereld delen. Ik ben helemaal alleen.

Na een tijd in de boom gezeten te hebben, schiet me iets te binnen. Wat als Konraad niet komt? Wat als hij echt is verdwaald, net als Lilith een paar dagen geleden? En als Danuel door een gewoon insect is gestoken? Misschien brak Yong zijn eigen been om weg te komen, maar hij kan ook gewoon gevallen zijn. Wat als Danuel de situatie verkeerd heeft ingeschat? Yong had toch niet kunnen weten wat er allemaal zou gebeuren? Het is krankzinnig. Het moet vreselijk veel pijn doen, maar Yong is waarschijnlijk de enige die deze expeditie zal overleven.

Ik ga even verzitten op de tak en kijk naar beneden. Ik zie een Bengaalse tijgerkat door de jungle sluipen. Hij ziet eruit als een kleine huiskat, maar dan met de vacht van een luipaard. Ik slik even. Ze zijn goede klimmers, maar hij doet gelukkig geen poging de boom waarin ik zit te beklimmen. Hij loopt verder.

Ik kijk om me heen. Het is al bijna avond. Er loopt een neushoornkever over de bast van de boom. Er vliegen motten voor mijn gezicht. Ik probeer ze weg te slaan. Hoe weet de Berg wanneer hij welke wezens op me af moet sturen? Ik kijk naar mijn knie en zie hoe een witte rups zijn weg naar boven probeert te vinden. Ik weet dat dit niet dezelfde rups kan zijn die ik eerder in het kamp trof, maar er is iets verbetens aan de manier waarop hij zich voortbeweegt – zijn achterpoten die naar voren lopen, zijn lijf dat zich opkrult, zijn voorpoten die naar voren springen – ik besef echter ook dat op deze Berg dit wel degelijk dezelfde rups is. Ik laat hem over me heen kruipen, doe geen moeite hem van mijn broek te vegen. Voor elk insect dat ik wegjaag, komen er twee of drie terug.

De zon is onder, het wordt langzaam schemerig. De blauwe lucht wordt oranje en in de verte zijn de eerste wolken te zien.

Zouden de gibbons in de andere bomen doorgeven waar ik zit? Er valt bijna niet meer aan te ontkomen.

Een groep steeloogvliegen dwaalt om mijn hoofd en landt op de bast van de boom. Ze zouden kunnen doorgaan voor ruimtewezens, lijken met hun antennes contact te willen maken met beschavingen veel verder weg dan de bewoonde wereld. Langzaam komen er steeds meer. Even doe ik nog een poging om mijn gezicht vrij van vliegen te houden en ze dood te slaan en weg te vegen, maar al snel geef ik de moed op. Het is totaal zinloos.

En het moment lijkt oneindig lang te duren

Het oerwoud houdt zijn adem in. Dan hoor ik gerommel. Gebrul. Ik zie kikkerbekken wegvliegen, vliegende eekhoorns het luchtruim kiezen en gibbons ineenduiken van angst. De brul van de neusapen.

'Ik hoop dat je weet dat ik wist dat het zo zou eindigen,' zegt Raaf.

Hij heeft gelijk. De Berg is waar ik hoor. De waanzinnigste plek op aarde, tussen wezens die ik niet begrijp. De man die zijn geweten vaarwel heeft gezegd. De gek verafschuwt de waanzin niet, hij omhelst hem als het paradijs.

De warme vleugels van Raaf slaan om me heen. De warme lucht trekt aan mijn kleren. De wind jaagt de vogels de stuipen op het lijf. Ze vliegen weg. Zelfs de bladsprietkevers, de mieren en de spinnen proberen een onderkomen te zoeken. Ben ik waanzinnig? Zijn mijn dromen waar en lig ik vastgebonden op een bed, omdat ik mijn fantasie niet meer onder controle heb? Ik raak langzamerhand het hart van de jungle in mijn hoofd. Ik begin de kern te bereiken.

Het is donker. Wolken hebben zich verzameld voor de maan. Ik zie niets als het niet beweegt. Als iets of iemand me nu wil besluipen, zal ik het pas doorhebben als het te laat is. Ik zoek met mijn handen in de rugzak naar de vorm van een zaklantaarn. Ik vind hem en mijn handen bibberen. Als ik hem laat vallen, zal ik morgen niet halen. Voorzichtig beweeg ik mijn vingers naar het lichtknopje. Ik heb de lamp nog in mijn handen. Ik klik hem aan. Er gebeurt niets. Geen batterijen. Ik vervloek alles. Alles en iedereen die ik ken.

Het oerwoud antwoordt met een oorverdovende schreeuw. Dat is Wilson. De tranen springen in mijn ogen. Hij is dichtbij. Heel dichtbij. En hij kan me waarschijnlijk ruiken. Ik zoek met mijn handen naar het mes in de rugzak.

'Dat heeft geen zin,' zegt Raaf.

'Alsjeblieft,' smeek ik. 'Niet nu.'

'Smeken heeft ook geen zin. Niets heeft nog zin. Wacht op hem. Je zoekt naar een theorie die het zal verklaren. Hier zijn geen theorieën voor. Hier klopt geen logica. Je weet wie hij is. Je weet dat het oerwoud ademt en dat Wilson beweegt zonder te bewegen. Ze zullen je pakken, er valt niet aan te ontkomen.'

Ik schreeuw het uit. Na de laatste woorden van Raaf verlies ik mijn evenwicht. Ik val. Even zie ik mijn leven aan me voorbijflitsen. Nee. Ik pak met twee handen de riem vast en probeer mijn benen over de tak te zwaaien. Met elke poging verlies ik meer grip op de riem, maar ik weet dat als ik daar blijf hangen, ik het zeker niet red. Ik probeer het nog een keer. Nu lukt het wel. Angstig en zwetend klim ik weer op de tak. Een Muis van de Oude Wereld klimt over mijn benen. Een slang zit achter hem aan.

Pas toen ik de gekte voorbij was, zei mijn vader, *wist ik wat waanzin was.*

'Raaf,' zeg ik. 'De jongen heeft het niet gered. Hij is dood. En ik heb gezegd dat hij het zelf deed. Ik heb zijn ouders in een groter verdriet gestort. Ik heb een dode verraden.'

'Daarom hoor je hier,' zegt Raaf.

Geluiden van brekende takken bereiken me.

'Zeg me of het Wilson is die de geluiden maakt.'

'Hoe je de waanzin ook noemt,' zegt Raaf, 'je kunt niet ontsnappen aan de confrontatie.'

Er is geen ontsnapping mogelijk. Er is geen oplossing. Er is geen manier waaraan ik nog niet heb gedacht waardoor ik ongeschonden terug kan naar huis. Dat zal ik nooit meer zien.

Ik hoor gerommel op de grond onder me. Gegrom. Geritsel. Hier zijn ze dan.

Het geluid neemt af. Ik voel hoe Wilson zijn hand beneden tegen de stam van de boom heeft gelegd. Ik voel hoe de hartslag van de jungle klopt in elk levend wezen dat zich in het oerwoud bevindt. Neusapen jagen de gibbons weg. Neusapen klimmen langs de bomen omhoog. Even zie ik de jungle voor wat het is: een levend organisme in zijn volledige vorm. Ik voel het. Even, terwijl ik harige handen aan mijn lichaam voel trekken, lukt het me nog om boven in de boom mijn hand tegen de bast te houden en te delen in de kennis van Wilson. Een moment weet ik wat Wilson weet. Ik zie de weg uit het oerwoud, ik begrijp nu hoe ik weg kan komen van de Berg en kan terugkeren naar het dorp, met zijn haven, waar ik veertien dagen geleden was. Ik zie alles, ook de weg naar huis. Even deel ik in de oneindige kennis van de Berg. En het moment lijkt oneindig lang te duren.

De gek verafschuwt de waanzin niet, hij omhelst hem als het paradijs.